Chère Lectrice,

Vous qui rêvez d'un monde merveilleux, vous qui souhaiteriez parfois vivre l'histoire d'une héroïne de roman, vous avez choisi un livre de la Série Romance.
Vous verrez, en lisant cette aventure passionnante, que la chance peut sourire à tout le monde – et à vous aussi.
Duo connaît bien l'amour. Avec la Série Romance, c'est l'enchantement qui vous attend.

**Un monde de rêve, un monde d'amour,
Romance, la série tendre,
six nouveautés par mois.**

Série Romance

LUCY GORDON

L'orgueil des Carrister

Les livres que votre cœur attend

Titre original : *The Carrister Pride* (306)
© 1984, Lucy Gordon
Originally published by Silhouette Books,
division of Harlequin Enterprises Ltd,
Toronto, Canada

Traduction française de : Monique Layton
© 1985, Éditions J'ai Lu
27, rue Cassette, 75006 Paris

Chapitre premier

Jenny Carrister jeta une grosse enveloppe sur le siège arrière et s'installa au volant. Pourvu que le moteur accepte de se mettre en marche ! pria-t-elle. Avec cette vieille guimbarde qui avait largement dépassé l'âge de la retraite, il fallait s'attendre à tout.

La mécanique émit quelques bruits singuliers, mais obéit. Jenny ignorait l'origine de ceux-ci et refusait de leur accorder trop d'attention sous peine d'y laisser le peu d'argent dont elle disposait. Les travaux de dactylographie qu'elle allait livrer lui seraient payés, bien entendu, mais comme toujours la somme due servirait à régler ses factures en souffrance. Avec un soupir, la jeune fille se demanda si un jour, enfin, elle disposerait d'un peu de superflu, que l'entretien de la maison n'engloutirait pas immédiatement.

La maison ! Au tournant de l'allée, la jeune fille s'arrêta et se retourna pour la contempler. A cette distance, Carrister Hall semblait surgir d'une vieille gravure anglaise. C'était une demeure seigneuriale couverte de vigne vierge, à la façade percée de fenêtres à meneaux. Dans la lumière douce de cet après-midi d'avril, les vieilles pierres prenaient des reflets de miel et le toit incarnat se nuançait de pourpre. Malgré sa structure imposante, un peu sévère, le manoir avait quelque chose de rassurant, de tranquille. Bien des générations l'avaient habité et il paraissait défier le temps. En réalité, dès qu'on approchait, on remarquait bien vite les tuiles manquantes, les fenêtres aux volets branlants, les ferrures des portes rongées de rouille et les portes elles-mêmes, dont le bois grignoté par les siècles menaçait de s'effriter. Une sérieuse réfection s'imposait !

Pour ménager la voiture, Jenny accomplissait toujours à une allure modérée les quinze kilomètres qui séparaient le manoir du village. En cette saison, le trajet était un véritable enchantement, avec les arbres en fleurs, les jacinthes des bois formant un tapis aux couleurs vives. Soudain, elle ne put y résister, arrêta un instant son véhicule, en sortit pour s'accouder au petit pont enjambant la rivière, juste à temps pour suivre les évolutions d'un martin-pêcheur à la surface de l'eau.

Dire qu'autrefois presque toute la contrée appartenait aux Carrister ! Mais au cours du siècle dernier, les terres avaient été vendues, les unes après les autres. N'en subsistaient que les abords immédiats de la demeure. La famille aussi avait fondu, rétréci, ses membres s'étaient dispersés et il n'en restait que Jenny et son arrière-grand-père, sir Leonard, quatorzième baronnet. Elle sourit en songeant à celui qu'elle appelait affectueusement grand-père, éludant ainsi une génération. D'ailleurs grand-grand-père eût paru incongru ! Le vieillard reviendrait d'un court voyage à Londres dans la soirée et bientôt la maison résonnerait de nouveau de ses observations tranchantes à propos de tout ce qui n'était pas fait selon les règles, les siennes, les seules qui eussent force de loi et qui dataient de sa jeunesse, c'est-à-dire du règne de la reine Victoria et d'Edouard VII. A quatre-vingt-sept ans, il en paraissait vingt de moins et dirigeait son petit monde en monarque absolu. Pas question de laisser échapper devant lui une expression familière, ni de manquer aux usages.

Sa « petite-fille » avait eu un mal fou à lui faire admettre son droit de porter un jean, d'entretenir elle-même la voiture et de travailler à mi-temps. Elle adorait le vieil homme et préférait subir sa désapprobation plutôt que de lui avouer : « Je porte un jean parce que c'est bon marché et solide ; j'entretiens la voiture pour économiser le peu dont nous disposons ; et si je ne travaillais pas, nous ne le posséderions même pas, ce tacot préhistorique ! » Non, elle ne pouvait lui assener ces vérités qui l'auraient peiné, lui qui vivait dans une époque révolue, ignorant les bouleversements politiques et les technologies nouvelles qui agitaient la planète. « Je vis avec mon temps ! » s'exclamait-elle d'un ton léger, tandis qu'il hochait la tête en se plaignant de cette « jeunesse écervelée d'aujourd'hui ».

Après avoir traversé le village de King's Carrister, elle aperçut le cottage du Dr Howard Whickham. Comment eût-elle subsisté si ce professeur d'université n'avait eu l'envie soudaine de se retirer ici et d'y travailler ? Depuis deux ans, il écrivait des ouvrages publiés dans des revues spécialisées. Jenny assurait son secrétariat deux jours par semaine auprès de lui, emportant du travail à domicile.

Elle atteignait le cottage quand le chuintement et le brusque cahot caractéristiques d'une crevaison l'alertèrent. Tant pis, soupira-t-elle résignée, je changerai le pneu après.

Le Dr Whickham l'accueillit dans son bureau aux murs couverts de livres. Il y avait là ses propres œuvres, de nombreux volumes d'érudition, de philosophie, de politologie et d'histoire, mais aussi des romans policiers et d'espionnage. Agé d'une soixantaine d'années, le professeur, bon vivant, refusait de se prendre au sérieux.

— Je suis terriblement pressée, annonça-t-elle. J'ai encore un pneu crevé !

— Vous resterez bien le temps de prendre un sherry ? D'ailleurs c'est un ordre !

— Entendu, dit-elle en se laissant tomber dans un fauteuil. Le temps que vous jetiez un coup d'œil aux feuillets que je vous rapporte...

— Inutile ! Votre frappe est toujours parfaite.

Ce compliment inusité dissimulait quelque nouveau ravaudage de son manuscrit, elle en était sûre ! Il suffisait d'observer son air vaguement coupable.

— Ne me dites pas que vous avez remanié le douzième chapitre !

— Je ne l'ai pas vraiment remanié... J'ai seulement apporté deux ou trois idées nouvelles qui me semblaient importantes.

— Et vous avez tout changé, soupira-t-elle, accablée.

« Deux ou trois idées nouvelles » étaient moins graves que : « J'ai repensé à un certain nombre de choses. » En effet, cela pouvait se traduire par : l'ouvrage entier est à dactylographier de nouveau !

— Je retaperai donc le chapitre. Mais il faut envoyer d'urgence le manuscrit à votre éditeur qui doit s'arracher les cheveux d'impatience.

Il éclata de rire. L'arrivée de Jenny dans sa tanière d'ours solitaire était comme un rayon de soleil. Il existait entre eux une sorte d'affectueuse complicité. En fait, il considérait Jenny comme son enfant, beaucoup plus que sa propre fille, Olympia, qu'il voyait si rarement.

Tout en rassemblant quelques feuilles éparses, il l'observa à la dérobée, affligé par le peu d'intérêt que la jeune fille accordait à son aspect physique. Jenny avait vingt ans, mais ressemblait encore à une collégienne et sa mince silhouette — aux formes harmonieuses — disparaissait sous un pull immense et sans âge et un jean râpé. Avec ses merveilleux yeux verts, son teint parfait et ses boucles auburn, elle était plus que ravissante. Si seulement elle se donnait la peine de se vêtir autrement! Mais comment l'aurait-elle pu, enfermée toute l'année dans cette immense bâtisse en compagnie de ce vieux dragon, et totalement coupée du monde?

— Comment va sir Leonard?

— Il se porte comme un charme! Il m'a appelée de Londres hier soir. Le docteur affirme que, pour son âge, il est dans une forme étonnante. A mon avis, il n'avait pas besoin de cet examen médical. C'était un prétexte pour aller à Londres et bavarder avec son camarade de régiment, le général Waters. Avec qui d'autre pourrait-il évoquer ses souvenirs de guerre?

Celle de 14-18, bien sûr! Pour sir Leonard Carrister, le vingtième siècle n'existait pas. Depuis la Grande Guerre, le monde s'était arrêté de tourner. Et la jeune fille consacrait chaque instant de sa jeunesse à entretenir ses illusions.

— C'est un homme âgé, mon petit, fit doucement le Dr Whickham. Il faut vous faire à l'idée de le perdre un jour.

— Grand-père a juré qu'il ne partirait pas avant de m'avoir trouvé un mari de mon rang, un prétendant possédant grand nom et solide fortune. Cela risque de durer un certain temps!

— Une fortune! Mais, ma pauvre enfant, tout ce que vous hériterez est cette demeure qui tombe en ruine et que le conseil municipal essaie de vous enlever à vil prix. Quant au nom, sir Leonard n'est que baronnet, c'est-à-dire chevalier et non pas duc!

— Si grand-père vous entendait parler de la sorte, il vous rétorquerait que le seul titre digne d'être porté est celui de gentleman anglais... et que vous mériteriez d'être pendu haut et court pour insolence envers le seigneur du lieu.

— Mais enfin, ma petite-fille, de nos jours, on ne parle plus ainsi!

— Lui, si! trancha-t-elle. Pour grand-père les soixante-dix ans écoulés depuis l'armistice n'ont jamais existé.

— Il serait bien obligé d'affronter la réalité, si vous vous y mettiez tous !

— Tous ? Vous voulez parler de Betterton et de sa femme ? Ils sont aussi âgés que lui. Eux non plus n'ont pas envie de connaître le vingt et unième siècle !

— Et vous ? Vous n'aimeriez pas être de votre époque ? Sortir de votre mausolée et vivre dans un appartement moderne, comme les filles de votre âge ? Quel plaisir trouvez-vous à vivre avec cet octogénaire et deux domestiques tellement perclus de rhumatismes que vous exécutez tous les travaux ménagers à leur place ?

— Je... je ne crois pas avoir envie de vivre comme les autres filles, répondit Jenny d'un air pensif. Et je ne pourrais pas causer la moindre peine à grand-père. Non, déménager comme cela... Je mourrais d'inquiétude à l'idée qu'on ne s'occupe pas bien de lui... Et d'ailleurs, que voulez-vous que je fasse dans la vie active ? Je suis loin d'être aussi brillante qu'Ollie. Olympia, pardon !

Elle désigna du menton la grande photographie qui ornait le mur. La fille de Dr Whickham détestait qu'on l'appelle encore Ollie et Jenny ne s'y risquait que lorsqu'elle la savait au loin. Olympia avait tout trouvé dans son berceau : la beauté de sa mère et l'intelligence de son père. Elle avait accompli un parcours universitaire éblouissant et brisé tous les cœurs sur son passage. A vingt-six ans, elle s'était lancée dans le journalisme, collaborait à des émissions télévisées. Avant peu, elle ferait carrière derrière la caméra. C'était certain. Elle obtenait toujours ce qu'elle convoitait.

Il suffisait de regarder la photographie pour comprendre qu'elle menait une vie en harmonie avec sa personnalité très sophistiquée. Olympia ne fréquentait que les meilleurs restaurants, ne dansait que dans les clubs très privés, ne conduisait que des voitures de sport dernier modèle. Sa vie était tout à l'opposé de celle de Jenny qui ne pouvait s'empêcher de l'envier un peu. A quoi pouvait-il bien ressembler, ce monde qu'elle ne connaissait pas, ce monde excitant qui ravissait les filles de son âge ? Elle ne le saurait sans doute jamais : sa propre existence tenait de l'hibernation et de la nage à contre-courant. Elle avait trop bon cœur pour s'en plaindre, mais parfois l'idée qu'il existait un autre univers qui lui demeurait étranger la rendait mélancolique.

Le miroir lui renvoyait à la fois l'image de la brillante journaliste et la sienne — celle d'un apprenti mécanicien qui allait devoir réparer une carcasse à bout de souffle dans un instant. D'un geste rageur, elle enfonça sur ses boucles un bonnet de grosse laine.

— Vous pourriez être si jolie, soupira le Dr Whickham. Pourquoi vous déguisez-vous toujours en garçon manqué ?

— Parce que j'ai une roue à changer !

— Comment ? Vous n'allez pas faire cela vous-même !

— Pourquoi ? J'ai un cric. Et ce ne sera pas la première ni la dernière fois !

Elle se tourna vers lui avant d'atteindre la porte.

— Je reviendrai dans quelques jours avec votre chapitre remis à neuf...

Puis, après un dernier coup d'œil à la photo d'Olympia, elle remarqua :

— Je parie que votre fille ne doit même pas savoir où se trouve la roue de secours.

— C'est fort possible. Elle se croirait déshonorée si elle n'avait pas au moins trois hommes prêts à se disputer pour ouvrir le coffre à sa place !

Ils éclatèrent de rire. Quelques instants plus tard, la jeune fille fouillait l'arrière de sa voiture, en sortait la roue de rechange, le cric, la manivelle. Elle actionna le levier. La guimbarde consentit enfin à se soulever ! Les joues rouges, le souffle court, les muscles douloureux, elle évoqua soudain l'élégantissime silhouette d'Olympia. Pourquoi diable fallait-il que cette vision l'obsédât juste à ce moment, alors qu'elle devait ressembler au Kid de Charlie Chaplin ! Ce n'était pas la méthode la plus efficace pour se donner du courage. Les dents serrées, elle dévissa les écrous, retira la roue qu'elle remplaça par l'autre, en revissa les boulons et entreprit de dégager le cric, ce qui ne fut pas une mince affaire. Quand tout fut terminé, elle se laissa tomber à terre, lasse à mourir, prise d'une soudaine envie de pleurer, là, sur place, de ne plus se relever...

— Hello ! Dis-moi, mon garçon...

Levant la tête, incrédule, elle se trouva nez à nez avec une luxueuse voiture au moteur si silencieux qu'elle ne l'avait pas entendue arriver.

Quelque part, au-dessus de sa tête, la voix répéta :

— Eh ! toi, gamin...

— C'est à moi que vous parlez ? jeta-t-elle à l'adresse du conducteur, avec une soudaine fureur.

Ce dernier lui souriait, derrière le pare-brise. Il devait avoir une trentaine d'années. Sans s'émouvoir, il lui adressa un regard chaleureux, amical, plissé de petites rides sur les tempes, comme s'il riait souvent.

— Oui, c'est à vous. J'ai essayé de klaxonner pour attirer votre attention, mais l'avertisseur de mon carrosse ne marche pas. Désolé de vous avoir tutoyé et appelé ainsi, mais...

— Il y a de quoi ! rugit-elle.

— Mais j'ignore votre nom. Je ne pouvais quand même pas crier : « Eh ! Untel ! »

— Ça non, en effet ! hurla Jenny qui ne se contenait plus. Pour l'excellente raison que je suis une fille !

Elle arracha son bonnet d'un geste rageur, libérant le flot de ses boucles rousses. L'ébahissement de l'inconnu parut presque comique.

— Je vous assure que je n'ai pas voulu vous

offenser, murmura-t-il. Je suis désolé, vraiment désolé...

— N'en parlons plus, bougonna-t-elle.

— Que puis-je faire pour me racheter ? Voulez-vous que je vous aide à changer ce pneu ?

— Je suis assez grande pour le faire moi-même ! Merci !

— Ecoutez... Je ne doute pas un instant de vos talents. Je suis même certain que vous devez exécuter ce genre d'exercice tous les jours, mais...

— Si c'est une allusion à ma tenue...

— Pas du tout. Je me disais simplement que nous ne serions pas trop de deux. Avec ce tas de ferraille...

— Ce... quoi ? Qu'avez-vous contre ma voiture ? explosa Jenny.

— Rien. J'ai seulement l'impression qu'elle ne se maintient entière que par miracle, c'est tout.

Il était difficile d'affirmer le contraire. Changeant de ton, la jeune fille susurra :

— Elle a au moins l'avantage de montrer franchement ses défauts, elle ! Elle n'a pas de vices cachés qui vous font le coup de la panne au moment où vous vous y attendez le moins !

— Ce qui veut dire ?

— Que je reconnais la voiture que vous conduisez ! Vous l'avez louée au garage Terris. C'est l'unique véhicule du sieur Terris. Croyez-moi, le klaxon n'est pas la seule chose qui cloche. La poignée de la portière vous reste dans la main et si vous cognez trop fort le plancher du pied, celui-ci cédera sous la rouille.

— Et vous serez vengée, n'est-ce pas ? Comme vous devez regretter de ne pas pouvoir assister au désastre...

— Oh ! mais je ne vais pas m'en priver. Vous ferez tout au plus une dizaine de kilomètres, avec cette pièce de musée. Je vous saluerai en vous doublant sur la route.

— Je ne manquerai pas de vous répondre... miss !

La voiture démarra et disparut. Plantée au milieu de la chaussée, Jenny n'en revenait pas. Ses colères étaient de courte durée. Déjà, un vague remords l'envahissait. Après tout, l'inconnu n'avait rien fait de mal et l'humour avec lequel il avait répondu à ses remarques acerbes était même plutôt sympathique. Où pouvait-il bien aller ? Ceux qui empruntaient cette petite route se rendaient en général à Carrister Hall ou à une des fermes avoisinantes. On pouvait certes parvenir ainsi au hameau de Lark Carrister, mais ce n'était pas le plus court chemin.

Tout en pensant à l'inconnu, Jenny remit le pneu crevé dans le coffre, s'essuya les mains sur un vieux chiffon et reprit la route.

L'étranger n'était pas de la région. Jamais personne n'aurait loué pareille voiture, connue comme le loup blanc par ici. Pourquoi n'était-il pas descendu du train une ou deux stations plus tôt, dans une ville où il aurait pu louer un véhicule en meilleur état ? En tout cas, il y avait en lui quelque chose de citadin. Il ne devait pas chercher une ferme. Et puis, cette voix, cet accent... Pas vraiment anglais, il ne venait pas d'Europe non plus... Mais son accent était néanmoins trop britannique pour ressembler à de l'américain. Pourtant quelque chose d'indéniablement exotique le colorait. Si c'est un Américain, se dit-elle, il vient voir le plafond de Carrister Hall.

Le manoir possédait en effet un plafond peint par un artiste anglais du dix-septième siècle, Hugh Dormer, que Jenny trouvait absolument hideux. Elle comprenait pourquoi le peintre n'était jamais devenu un grand artiste. Aucune de ses œuvres n'atteignait une véritable maîtrise. Mais il s'était embarqué pour l'Amérique et avait réalisé là-bas des dessins à la plume retraçant de manière très vivante la vie des habitants de la Nouvelle-Angleterre. Le plafond représentait un parfait exemple de sa première manière. Des visiteurs venaient régulièrement l'admirer : historiens, étudiants en histoire de l'art, américains pour la plupart et très souvent originaires du Massachusetts.

Avec quelle fierté sir Leonard leur faisait visiter les lieux ! Les dons que certains d'entre eux offraient pour l'entretien des fresques étaient toujours les bienvenus. Si seulement l'inconnu pouvait être un visiteur, un riche touriste...

Elle appuya sur la pédale d'accélérateur, mue par un pressentiment. Eh oui, il était bien là ! A une dizaine de kilomètres du village, comme elle l'avait prédit. La voiture de luxe, carrosserie étincelante, moteur à l'agonie, était arrêtée sur le bas-côté de la route. De la fumée s'échappait du capot ouvert. Le conducteur sortit du véhicule dès qu'il entendit le teuf-teuf signalant l'arrivée de Jenny. Elle s'arrêta près de lui.

— Vous êtes en retard, constata-t-il en regardant sa montre. Je vous attends depuis cinq minutes...

— J'aurais dû passer sans m'arrêter. Cela vous aurait servi de leçon ! s'exclama-t-elle avec un joyeux éclat de rire. Allez, montez...

— Miss... X, vous êtes une lady... aucun doute là-dessus !

— Si c'est de nouveau une allusion à...

— Je vous jure que non !

Très vite, l'inconnu transféra ses bagages dans le vaillant tacot de Jenny et s'installa à ses côtés. Se tournant vers elle, il lui tendit la main.

— Permettez-moi de me présenter : Philip Thornhill. Je suis arrivé en Angleterre hier. Je viens de Boston, Massachusetts.

— Alors vous connaissez Hugh Dormer ! s'écria-t-elle.

— Ce type qui a dessiné des scènes de la vie des premiers émigrants ? demanda-t-il, visiblement abasourdi. Oui, bien sûr. Il est difficile de vivre là-bas sans en entendre parler ! Une galerie d'art entière lui est consacrée ! Mais je ne vois pas ce que...

— Je vous expliquerai plus tard. Où dois-je vous déposer ?

— D'abord, il me faut trouver de quoi me loger. Si vous voulez bien m'expliquer ensuite comment me rendre à Carrister Hall...

— J'en étais sûre ! exulta Jenny. Vous venez voir le plafond !

— Pardon ?

— Oui, notre plafond ! Le plafond de Dormer... à Carrister Hall ! Tous les gens viennent pour cela !

— Vous avez dit votre plafond ? Voulez-vous dire que... vous y vivez ?

— Mais oui. Je m'appelle Jenny Carrister.

Bien que son attention fût fixée sur la route, elle perçut la surprise qu'exprimait le soudain silence de son passager.

— Il existe encore des Carrister en ce bas monde ?

— Certainement. Pourquoi pas ? Je vis là-bas avec mon arrière-grand-père... Sir Leonard Carrister...

Ils ne dirent mot durant un long moment. La jeune fille se concentrait sur la conduite, toute son attention absorbée par la rencontre d'un troupeau de moutons, louvoyant entre les égarés et les retardataires.

— Comment connaissez-vous l'existence du plafond de Dormer ? demanda-t-elle enfin. Avez-vous lu quelque chose à ce sujet ?

— En vérité... j'en ai vaguement entendu parler. Je ne sais pas grand-chose de ces fresques.

— Ce plafond est terriblement grandiloquent, terriblement laid ! Quand vous l'aurez vu, vous comprendrez pourquoi Dormer a abandonné le style grandiose pour se mettre au dessin à la plume !

— J'ai l'impression que vous n'êtes pas une de ses admiratrices ! fit-il avec un sourire.

— Je n'aime pas du tout ce qu'il a peint, c'est

vrai. Mais Carrister Hall lui doit beaucoup. Il nous amène des touristes et j'en retire des bénéfices.

— Vous voulez dire que vous avez placé un tronc pour les dons, dans la fameuse salle au plafond ? Cela doit vous rapporter une misère !

— Non, car j'ai fait mieux ! Je garde les visiteurs comme hôtes payants. Ils adorent ça. Je leur donne une chambre avec un lit à colonnes datant d'Elisabeth Ire, et nous nous habillons pour le dîner, tenue de soirée de rigueur.

— Quelle femme d'affaires ! Dites-moi, vous n'auriez pas une chambre pour un hôte payant en panne sur une route de campagne, en ce moment ?

— C'est ce que j'allais vous proposer. Je pense que je peux vous faire confiance...

— Merci ! Je vous promets de ne pas emporter l'argenterie.

— Vous n'y êtes pas du tout ! s'exclama-t-elle, amusée. Je voulais simplement vous confier un secret. Attendez ! Je vais arrêter la voiture. Nous ne sommes plus très loin de Carrister Hall et il faut que je vous explique quelque chose avant d'arriver. Voilà : grand-père ne sait pas que nos hôtes règlent leur note. Il ne le saura jamais ! Vous comprenez, il est très âgé : quatre-vingt-sept ans. Il vit tout à fait hors de notre monde, au siècle passé. Il est fier, chevaleresque. Pour lui, l'hospitalité est une obligation de gentleman. Lorsque des visiteurs passent voir le plafond de Dormer, il les invite toujours à rester quelque temps, parce que les exigences aristocratiques de son éducation le veulent ainsi. Moi, j'ai tout de suite eu l'idée de leur demander une petite participation aux frais. Dès que j'ai eu le malheur de lui en parler, il est entré dans une telle colère, il a été tellement bouleversé, que j'ai décidé de contourner ses principes en secret. Je n'aime pas le tromper, mais je ne peux vraiment pas faire autrement. Alors, vous promettez de ne rien dire ?

Philip Thornhill la considéra gravement un long moment. Pourquoi la dévisageait-il ainsi ? Avait-elle du cambouis sur la figure ? Non, dans la profondeur de ses yeux bruns flottait à une étrange sourire. Sans réfléchir, elle lui sourit à son tour.

— Vous êtes une fille extraordinaire, murmura-t-il. Ce sera un honneur pour moi d'être reçu chez vous.

Le compliment la fit rougir et accentua son embarras.

— Excusez-moi un instant, dit-elle très vite, en se précipitant hors de la voiture garée sur le bas-côté. Je dois téléphoner pour prévenir le personnel.

Les Betterton adoraient ces clients cultivés qui permettaient à la vieille demeure de retrouver un peu de son faste d'antan. Tout serait fin prêt pour leur arrivée.

— Il faut me donner quelques explications complémentaires, fit son passager quand elle reprit sa place au volant. Qui d'autre est au courant de la situation ?

— Nous avons deux domestiques. Très âgés, eux aussi. Betterton est maître d'hôtel, sa femme cuisinière. Ils ont toujours servi notre famille. On peut dire qu'ils sont presque aussi attachés aux traditions que grand-père. Mais ils connaissent la vérité. Sans leur complicité, je ne pourrais pas garder un tel secret. Ah oui ! Autre chose encore ! Grand-père est très à cheval sur l'étiquette. Il tient à ce qu'on s'habille pour le dîner. Certes, il sait bien que tout le monde n'a pas un smoking dans ses bagages mais...

Elle jeta un regard éloquent sur son pantalon de toile et sa veste de sport.

— J'ai un costume très convenable dans un de ces sacs, expliqua-t-il comme en s'excusant. Cela ira ?

— Vous avez une cravate ?

— J'ai une cravate.

— Alors, ce sera parfait.

— Et vous, Jenny, que portez-vous d'habitude pour dîner ?

18

— Une robe longue.

— Et vous vous maquillez ?

— Bien sûr, je me maquille.

— Me voilà soulagé d'un grand poids !

Elle comprit trop tard qu'il s'était moqué d'elle, parodiant son interrogatoire. Mais elle ne s'en formalisa pas. Elle ne le connaissait que depuis quelques minutes, pourtant il lui inspirait déjà une chaude sympathie. Avec lui, elle se sentait apaisée, détendue. C'était tellement bon de rire avec quelqu'un.

— Je vous dois des excuses. Je n'ai pas été très aimable tout à l'heure.

— Ne vous excusez pas. Je suis trop heureux de m'en être tiré sans une égratignure. J'ai bien cru, à un moment, que vous alliez m'exécuter sur place.

Il plaisantait, bien sûr. Mais on voyait bien qu'il n'était pas du genre à se laisser impressionner par quiconque. Une certaine douceur atténuait la dureté de ses traits, mais sa bouche ferme et son menton volontaire ne trompaient pas. Il ne devait avoir nul besoin d'élever la voix pour imposer ses décisions. Inébranlable, il connaissait sans doute la manière d'utiliser la force de son adversaire pour le battre sur son propre terrain.

La route traversait à présent un petit bois marquant les limites des terres des Carrister. Les arbres formaient d'épaisses futaies et l'obscurité était telle que Jenny dut actionner les phares pour discerner la route.

— On se croirait dans la forêt de la Belle au bois dormant, murmura Philip.

— Le château semble en effet abandonné depuis des siècles, répliqua-t-elle en riant. Mais si le prince charmant débarquait par hasard et découvrait la belle en jean et maculée de cambouis, il pourrait bien prendre ses chausses à son cou...

— Vous ne trouvez pas qu'il manquerait de caractère, en abandonnant si vite ?

De nouveau, sans savoir pourquoi, elle ressentit

un curieux embarras. Elle fit mine d'accorder toute son attention à la conduite pour ne pas répondre ni voir son sourire.

Bientôt, ils quittèrent le bois et le château surgit alors dans toute sa magnificence.

— Pourrions-nous nous arrêter un instant? demanda son passager d'une drôle de voix.

Dès qu'elle coupa le moteur, il sortit de la voiture et se dirigea vers l'endroit précis qu'elle aimait entre tous. Il resta là, debout, immobile, silencieux, oubliant presque sa présence. Elle s'approcha de lui.

— C'est fabuleux, murmura-t-il comme s'il se parlait à lui-même. C'est exactement comme... comme si le temps s'était arrêté...

Elle eut la curieuse impression qu'il avait voulu dire autre chose. Mais elle ne s'attarda pas à cette idée, trop heureuse d'avoir découvert chez lui ce même sentiment d'émerveillement.

— J'aime cette demeure, dit-elle très doucement. Bien sûr, elle est inconfortable, trop grande pour nous et trop froide en hiver. Mais elle est en quelque sorte... vivante. Des générations y ont vécu des existences passionnantes, y ont laissé leur empreinte. Et j'en fais partie. Oh! certes, ma vie est loin de connaître des rebondissements palpitants. Cela peut sembler stupide de dire ça... je ne sais comment vous expliquer...

— Cela n'a rien de stupide, au contraire. Ce doit être exaltant de se savoir membre d'une longue lignée, maillon d'une chaîne historique.

Il ne pouvait détacher ses regards de l'imposante demeure dont les fenêtres prenaient des reflets d'or au soleil couchant. Une brise légère caressa les arbres de la propriété.

— Quel lieu paisible!... Je comprends pourquoi vous l'aimez tant. Vous avez beaucoup de chance, Jenny!

Elle faillit lui sauter au cou. Pour la première fois, un étranger contemplait l'édifice comme elle-même, avec le même regard, y voyant non pas une vaste bâtisse menacée par la ruine, mais quelque chose de précieux, d'infiniment fragile et beau.

Betterton se tenait au bas de l'escalier, dans une attitude déférente rappelant certaines photographies très anciennes. Sa livrée, un peu usée par endroits, était impeccable. Il s'inclina pour saluer Philip.

— Ce sont là les bagages de Monsieur ? s'enquit-il en désignant le siège arrière de la voiture.

— Oui, mais je vais les prendre moi-même.

Jenny l'en dissuada d'un hochement de tête impératif.

— Je ne peux quand même pas laisser cet ancêtre porter mes sacs, protesta-t-il à voix basse.

— Il le faut ! expliqua-t-elle sur le même ton. Il serait terriblement vexé si vous l'empêchiez d'exécuter son travail.

Mme Betterton les attendait à l'intérieur. C'était une femme de forte corpulence, une solide nature aux yeux pétillants de gaieté dont l'optimisme se trouvait souvent confronté au caractère sombre de son époux. Pour la jeune fille, c'était la meilleure des confidentes.

Tout en montant l'imposant escalier de chêne, Philip jetait autour de lui des regards curieux, étrangement attentifs.

— Je vous ferai tout visiter plus tard, promit Jenny en souriant. Nous y voici : la chambre élisabéthaine !

Elle ouvrit la porte d'un geste solennel. Au milieu d'une pièce aux lambris de chêne, au parquet recouvert d'un tapis rouge, s'élevait un énorme lit à colonnes sculptées et aux tentures de brocart du même rouge un peu pâli. Philip le considéra d'un air perplexe, vaguement inquiet.

— Rassurez-vous ! s'écria Jenny en riant. Vous ne courez aucun danger. Les colonnes sont solides et le ciel de lit ne vous tombera pas sur la tête.

— Comment avez-vous deviné ce à quoi je pensais ?

— Parce que tous les clients, ou presque, font systématiquement une remarque à ce propos. Attention, le sol est un peu inégal là où vous vous trouvez. Si vous voulez ouvrir une fenêtre, choisissez celle-ci. L'autre ne s'ouvre pas. Ou plutôt, une fois ouverte, ne se ferme plus... Cette porte donne sur une ancienne garde-robe qu'un Carrister a eu la bonne idée de faire transformer en salle de bains.

Betterton toussa discrètement à l'entrée de la pièce. Jenny retint un éclat de rire. Le vieux domestique, très à cheval sur les convenances, lui faisait comprendre qu'il ne s'éloignerait pas tant qu'elle serait seule dans la chambre avec le jeune homme.

— Bien, je vais vous laisser vous installer. A tout à l'heure !

Elle rejoignit en toute hâte Mme Betterton dans la cuisine.

— Je comptais servir les restes du ragoût, dit celle-ci, mais puisque nous avons un hôte, mieux voudrait un menu un peu plus raffiné.

— Vous avez raison. Vous improvisez toujours des merveilles !

— Il faudra donc tuer un poulet. Je pense que vous serez d'accord... Cette vieille poule noire, là-bas !

Leur basse-cour, dont s'occupait Jenny, était située à l'autre bout du jardin potager. Une douzaine de poulets s'y ébattaient paisiblement.

— Quoi ? Ce pauvre animal qui n'a que la peau sur les os et qui doit résister sous la dent ? Non ! Un jeune poulet sera bien meilleur.

— Mais... protesta la cuisinière, avant de s'interrompre. Après tout, vous avez raison. Ce garçon est vraiment très séduisant...

22

— Je ne vois pas le rapport, madame Betterton, coupa Jenny en rougissant.

— Allez... allez... sortez de ma cuisine, bougonna la vieille femme, l'air entendu.

Chapitre deux

Le train qui s'arrêta à la petite gare, en fin d'après-midi, ne déposa qu'un seul voyageur : un homme âgé, d'impressionnante stature à l'allure militaire et dont le visage semblait taillé dans le roc. Dès qu'elle l'aperçut, Jenny agita la main et courut à sa rencontre. Un large sourire éclairait à présent les traits du vieillard. Il se pencha vers elle, l'étreignant contre sa large poitrine où, toute menue, elle disparut.

C'était sans doute en raison de sa haute taille qu'il n'avait jamais vraiment compris qu'elle était devenue adulte. Pour lui, elle demeurait la petite fille de huit ans, maigrichonne et apeurée qui avait fait son entrée dans sa vie et sa demeure il y a bien longtemps. Les Carrister avaient toujours été des hommes magnifiques, mais on eût dit qu'en la personne du dernier descendant mâle étaient réunies les séductions les plus caractéristiques de cette longue lignée : sir Leonard avait des yeux bleus lumineux, des sourcils très fournis, aussi blancs que son épaisse moustache et son abondante chevelure.

Jenny, soulagée, constata qu'il semblait avoir fort bien supporté les fatigues du voyage. Il n'avait pas perdu un pouce de son port de tête si fier, alors même qu'il se contorsionnait pour s'insinuer dans la petite voiture.

— Ne conduis pas trop vite, s'il te plaît, recommanda-t-il comme d'habitude.

— Parle-moi un peu de Londres ! demanda-t-elle, dissimulant un brin d'amertume. Londres, centre du monde...

— Trop de bruit. Je suis bien content d'être de retour. Je n'y retournerai pas.

— Allons, tu dis toujours cela, mais tu cours toujours avec le même plaisir retrouver le général Waters pour ronchonner avec lui...

— Pour quoi... ?

— Je voulais dire pour t'entretenir avec lui. Et avec son neveu qui vous bichonne avec tant de soins.

Le Dr Waters dirigeait une petite clinique pour clients fortunés. Mais sir Leonard Carrister jouissait là-bas d'un traitement de faveur : il y disposait d'un remarquable confort, à titre entièrement gratuit. Il était en effet le seul ami encore vivant du vieux général Waters, adoré de son neveu.

— Et toi, qu'as-tu fait en mon absence ? J'espère que tu ne t'es pas épuisée. Ce n'est pas sain de rester ainsi devant une machine à écrire toute la journée ! De mon temps, les jeunes filles montaient à cheval et vivaient au grand air.

Il y avait un an encore, Jenny montait son propre cheval, une bête déjà fatiguée, morte de vieillesse depuis. Bien entendu, pas question d'en acheter une nouvelle. Quand ses moyens le lui permettaient, la jeune fille louait un cheval au manège voisin. Encore un secret à ne pas avouer à son arrière-grand-père...

Dès qu'ils eurent dépassé le village, elle accéléra légèrement.

— Tu conduis beaucoup trop vite ! protesta-t-il.

— Il faut rentrer plus rapidement que d'habitude car nous avons un invité. Il vient évidemment voir le plafond de Dormer et passera la nuit au manoir.

— J'espère que tu l'as traité comme il se doit !

— Il est installé dans la chambre de la reine et nous avons sacrifié un poulet pour lui. Il a beau affirmer que dîner tard lui est égal, n'empêche qu'à voir la manière dont il a dévoré les sandwiches que Mme Betterton avait préparés pour le thé, je le crois affamé comme un tigre.

— A quoi ressemble-t-il ?

Comment décrire Philip ? Elle l'évoquait sans peine avec son visage énergique et tendre, son regard pétillant d'humour, son cou hâlé que découvrait le col ouvert de sa chemise, et ses mains puissantes, solides... Comment décrire le charme de cet homme ?

— Il doit avoir trente et un ou trente-deux ans. Il est américain, du Massachusetts. Il a loué la voiture de John Terris qui a quasiment explosé. Il serait encore planté sur la route si je n'étais pas passée par là.

Mieux valait éviter de parler de leur première rencontre. Avouer que Philip l'avait d'abord prise pour un gamin aurait suscité la colère du vieillard.

— Il ne doit pas s'y connaître beaucoup en mécanique pour avoir loué celle de Terris.

C'était bien l'avis de Jenny. Pourtant elle prit aussitôt la défense du jeune homme.

— Il n'y avait pas le moindre véhicule à quatre roues disponible à des kilomètres à la ronde. Et puis il ne pouvait pas se douter que Terris ne faisait réviser sa somptueuse limousine que tous les cent ans...

Ils passaient à l'instant devant l'endroit où Philip Thornhill avait abandonné la voiture. Mais à présent celle du garagiste était garée derrière elle. L'air furieux, Terris leur intima de s'arrêter.

— Ce n'est pas trop tôt ! s'écria-t-il avec sa grossièreté coutumière.

— Pardon ? J'ignorais que vous nous attendiez, monsieur Terris...

— Bon, ça ne fait rien. Vous avez la clé ? Je ne peux pas déplacer cette bagnole sans la clé !

Sir Leonard eut un haut-le-corps.

— Mais qu'est-ce qui vous fait penser que nous l'avons ? s'emporta Jenny. Ce n'est pas moi qui vous ai loué cette voiture !

— Non, mais celui qui l'a fait loge chez vous !

— Voulez-vous avoir l'obligeance de m'expliquer de quoi il retourne ? demanda, hautain, le vieillard qui s'extirpait, avec grande dignité, du véhicule de sa petite-fille.

Il écrasait John Terris de son imposante silhouette. Forcé de lever les yeux, l'homme baissa du même coup le ton.

— J'ai loué l'auto cet après-midi à un certain Philip Thornhill. Il ne l'avait pas depuis cinq minutes qu'il a réussi à me bousiller le moteur, Dieu seul sait comment ! Pour pouvoir m'en rendre compte, il faudrait que je puisse l'ouvrir !

D'un geste impérieux, sir Leonard fit taire Jenny qui s'apprêtait à exploser de fureur.

— Tout cela ne nous explique pas pourquoi vous imaginez que Mlle Carrister est en possession de cette clé.

— Ce Thornhill m'a téléphoné de chez vous pour expliquer ce qui était arrivé. Je lui ai bien répété que je n'avais pas d'autre clé... En vous voyant, j'ai cru...

— Que nous faisions vos commissions ? Ce monsieur doit vous attendre au château ! conclut calmement sir Leonard. Allez la chercher vous-même !

Sans un mot de plus, il remonta dans la voiture, laissant Terris violet de fureur sur le bord de la route.

— Comme si je n'avais que cela à faire ! grommela ce dernier. Courir à la recherche d'un idiot qui ne sait même pas se servir convenablement d'une voiture, d'une aussi bonne voiture.

— Elle pouvait sans doute encore rouler... il y a dix ans ! lança Jenny.

— Cela suffit, ma petite fille. L'homme est furieux parce qu'il devra rendre l'avance reçue pour la location. Il cherche n'importe quel prétexte pour placer M. Thornhill dans son tort. Et il y parviendra sans doute ! Comme d'habitude...

— Cela m'étonnerait... murmura la jeune femme, en mettant le contact.

Quelques instants plus tard, John Terris les doublait comme un fou.

— Il veut arriver avant nous ! Ça ne se passera pas comme ça !

— Ralentis, veux-tu ! Je n'ai aucune envie de me retrouver à l'hôpital, simplement parce qu'un hôte de passage requiert notre protection...

— Il n'a besoin de la protection de personne !

— Alors, pourquoi es-tu si pressée ? demanda-t-il en la regardant à la dérobée. Tiens ! je m'aperçois avec plaisir qu'à notre époque les femmes savent encore rougir... Cela te sied à ravir, ma petite Jenny...

Comme ils s'y attendaient, John Terris les avait précédés de cinq minutes et tempêtait dans le vestibule, devant un Philip impassible, assis sur le bord d'une table, les mains dans les poches. Il attendit que l'autre reprenne son souffle.

— Cette voiture est tombée en panne après une demi-heure de conduite. Vous avez encaissé quatre-vingts livres pour une location d'une semaine, vous devez donc me rembourser une somme équivalant à une semaine, moins une demi-heure...

— S'il s'agit vraiment d'un défaut de la mécanique, nous verrons. Mais je me demande plutôt ce que vous avez fait pour la mettre dans cet état.

Jenny faillit s'étrangler d'indignation. Elle s'avança, aussitôt arrêtée par un geste de Philip Thornhill. Le regard de celui-ci était dur, glacial — l'expression d'un homme habitué à être obéi sans discussion.

— Vous savez très bien que je n'ai pas abîmé votre véhicule. D'ailleurs, même si je l'avais fait, votre assurance en couvrirait les frais. Je vous ai versé quatre-vingts livres pour une semaine. Votre guimbarde n'a tenu que quelques kilomètres. J'entends être remboursé jusqu'au dernier sou.

— Ah ! Vous entendez ? ironisa Terris. J'aimerais bien savoir comment vous allez vous y prendre. Comptez-vous me les arracher de force ?

— Je ne me donnerai pas cette peine car c'est vous qui allez me remettre cet argent...

— Vous vous faites des illusions, mon vieux... fit l'homme avec un gros rire vulgaire.

— Non, je n'en ai pas la moindre quant à votre honnêteté. Mais vous le ferez dans votre propre intérêt...

— Et pourquoi ça ?

— A cause de la police, monsieur Terris. Votre voiture les intéressera sûrement. Le commissariat le plus proche est sans aucun doute l'endroit idéal où déposer votre clé.

Un lourd silence s'ensuivit. John Terris s'approcha de Philip, l'air menaçant.

— Rendez-moi cette clé !

— Nous en reparlerons quand vous m'aurez remboursé.

— J'ai dit : rendez-moi cette clé !

— Si vous ne vous exécutez pas, elle m'appartient pour une semaine encore !

— Allez-vous me la rendre ? hurla Terris.

Il bondit vers son client comme pour le prendre à la gorge mais des doigts d'acier se refermèrent sur son poignet, le repoussant presque sans effort. Malgré sa corpulence, Terris n'aurait pas le dessus. Jenny contemplait, fascinée, les muscles tendus de son hôte sous la peau bronzée.

— Comptiez-vous me l'arracher de force ? ironisa Philip, imitant le ton de Terris.

Ce dernier, admettant d'un coup la supériorité de

son adversaire, céda. Il se dégagea et fouilla dans sa poche. Visiblement, il écumait de rage.

— Je n'ai pas cette somme sur moi... Je ne peux vous rembourser que cinquante livres... Voici...

— J'ai dit quatre-vingts...

— Puisque je vous affirme que je n'ai pas le complément...

Il s'interrompit devant le sourire d'une menaçante sérénité de Philip. A contrecœur, il ajouta quelques billets.

— Quatre-vingts, compta Thornhill. Parfait. Voulez-vous un reçu ?

— Allez au diable avec votre reçu. La clé, maintenant !

Sans hâte, Philip rangea les billets avant de déclarer le plus tranquillement du monde :

— Désolé. Impossible. Je ne l'ai plus. Je l'ai remise à la police, il y a environ une demi-heure...

Terris faillit s'étrangler de stupéfaction. Sir Leonard fixait son hôte d'un air incrédule. Jenny elle-même avait du mal à reconnaître l'aimable Philip de tout à l'heure dans cet inconnu calculateur et implacable.

— Voleur ! Sale individu ! rugit l'homme. Vous m'aviez dit...

— Je vous ai dit que le commissariat me paraissait l'endroit idéal pour déposer votre clé. Je le crois toujours. Sur mon coup de téléphone, un agent est venu la chercher. On semblait même assez content de l'avoir, au poste de police...

— Espèce d'escroc ! Vous m'avez proposé un marché : l'argent contre la clé.

— Je n'ai proposé aucun marché. J'ai simplement dit : « Nous reparlerons de la clé quand vous m'aurez rendu mon argent. » Et nous en parlons... Je ne vous ai jamais rien promis. Libre à vous d'en tirer cette conclusion, comme je le prévoyais. Maintenant, à votre place, je retournerais sagement à la voiture. La dépanneuse municipale va venir l'enlever et je suppose que vous préférez être présent...

— Vous me le paierez! On ne me roule pas comme ça, moi!

— Eh bien, moi non plus, conclut Philip, très calmement.

La porte claqua avec fracas. La sortie spectaculaire de Terris ramena chacun à la réalité. Malgré la brièveté de l'altercation, quelques minutes à peine, Jenny avait l'impression d'être restée un siècle entier figée sur place. De son côté, sir Leonard semblait émerger d'un rêve, un aristocratique ahurissement plaqué sur son visage. Philip s'approcha et lui tendit la main.

— Veuillez m'excuser d'apporter un tel trouble dans votre maison, monsieur. Permettez-moi de me présenter : Philip Thornhill.

— Inutile de vous excuser. C'est avec plaisir que je vous ai vu traiter cette crapule comme elle le méritait!

— A vrai dire, au début, j'avais l'intention de lui rendre sa clé contre mon argent. Mais j'ai pensé aux accidents que ce tas de ferraille risquait de causer. Il semble d'ailleurs que la police ait saisi ma plainte au vol, n'attendant que cela pour lui retirer son véhicule... Remarquez que je n'ai aucune excuse. On m'avait prévenu...

Il sourit d'un air de gamin pris en faute. Jenny sourit à son tour, soulagée de retrouver le compagnon charmant, chaleureux, dont elle avait fait la connaissance quelques heures plus tôt. Toute dureté s'était effacée de son beau visage.

— Si j'ai bien compris, vous êtes notre hôte et j'en suis ravi. Je propose de remettre notre conversation au dîner... qui sera servi dans une heure...

Prévenu des usages par la jeune fille, Philip le rassura aussitôt :

— Dans ce cas, permettez-moi de me retirer pour m'habiller.

Une heure! soupira Jenny intérieurement. Délai bien court pour la transformation qu'elle projetait en l'honneur de cet « invité » inattendu. Il fallait à tout prix lui faire oublier sa malencontreuse première impression, quand il l'avait surprise en tenue — douteuse — d'apprenti mécanicien. Bien sûr, elle ne serait jamais aussi éblouissante qu'Olympia Whickham. En classe, elle avait toujours été une élève très moyenne. Mais en revanche, elle possédait des doigts de fée.

Pour faire plaisir à son arrière-grand-père que son goût portait vers une certaine solennité au dîner, elle s'était confectionné une robe longue d'une ligne très simple avec trois fois rien : un coupon de velours émeraude acheté en solde. Le ton du tissu mettait en valeur le vert de ses yeux et la laiteuse perfection de son teint. Jenny avait apporté le plus grand soin à la coupe et à la finition du vêtement et seul un œil exercé eût deviné que la robe ne venait pas d'une boutique renommée.

Elle hésita un instant : nouerait-elle ses cheveux ? Puis elle décida de laisser tout simplement ses boucles auréoler son visage, après les avoir vigoureusement brossées. Avec cette coiffure mi-longue, elle ressemblait à un ange de Botticelli, le peintre chéri de la Renaissance italienne. Un dernier coup d'œil au miroir : pas mal ! La robe aux fines bretelles lui dénudait les bras et les épaules. Certes, il faisait encore un peu frais pour la porter mais, avec un châle léger, elle serait parfaite. A présent, elle pouvait descendre.

C'était, entre toutes les heures de la journée, celle où Carrister Hall retrouvait sa splendeur d'antan. La douce lueur du couchant estompait ses rides et ses blessures, dispersait de beaux reflets ambrés sur les lambris de chêne, faisait resplendir le brocart écarlate des tentures, bien usées pourtant par endroits.

Oh ! Comme elle aimait cette maison ! Aucun autre lieu au monde ne l'égalait en charme, en noblesse. Elle saurait la garder, malgré leurs difficultés financières. Elle se battrait, la défendrait contre la terre entière, s'il le fallait !

Quand elle descendit le monumental escalier de bois grinçant, elle aperçut une lumière filtrer de la bibliothèque dont la porte était entrouverte. Entendant son pas léger effleurer les marches, Philip sortit de la pièce et leva les yeux vers elle. Une soudaine bouffée de joie fit resplendir davantage encore la grâce de la jeune fille. Tandis qu'elle s'immobilisait dans la douce lumière du couchant sous le regard de son hôte. L'intensité du regard de Philip ne lui échappa pas. On pouvait lire sur son visage la stupéfaction, une admiration presque charnelle qu'il ne songeait pas à dissimuler.

Il était vêtu d'un strict costume anthracite et d'une chemise d'épaisse soie blanche. Même sir Leonard ne pourrait y trouver à redire. Jamais, de toute sa vie, Jenny n'avait rencontré d'homme plus séduisant que cet Américain qu'elle connaissait à peine. Elle baissa les yeux, de peur qu'il n'y lût trop d'émoi, de bonheur encore secret.

« Hello ! Dis-moi, mon garçon... » Elle sourit. Les premiers mots de leur première rencontre... Mais avec, cette fois, une nuance incrédule. Quand il vint lui prendre la main pour l'accueillir au pied de l'escalier d'honneur, obéissant à un savoir-vivre d'un autre temps, elle sut que sa métamorphose l'avait frappé au cœur.

— Je croyais être arrivé trop tôt.

— Excusez-nous, grand-père ou moi aurions dû vous attendre dans la bibliothèque, mais il se repose de son long voyage et moi...

Elle s'interrompit. Allait-elle lui avouer qu'elle avait passé tout ce temps à se faire belle pour lui ?

— Moi, je... je devais m'occuper de certaines choses...

— Je sais, répondit-il avec un sourire malicieux. Puis-je me permettre de vous dire, Miss, que le résultat en valait la peine ?

Miss... Il l'avait également appelée ainsi, le matin même. Un siècle déjà depuis l'échange de leur premier regard.

— Jenny, expliquez-moi donc pourquoi une fille aussi ravissante que vous l'êtes se promène déguisée en petit mécano ?

— Afin de pouvoir changer un pneu, le cas échéant...

En souriant, elle lui tendit un verre de sherry et s'approcha du feu. La soirée d'avril était un peu fraîche.

— Un vrai feu de bois, murmura Philip. Je ne pensais pas qu'une telle atmosphère pût exister ailleurs que dans les romans d'autrefois. Mais je me suis senti très mal à l'aise en voyant Betterton, ce vieillard transparent, entrer à petits pas, courbé sous le poids des bûches. J'ai voulu l'aider, puis je me suis souvenu de ce que vous m'aviez dit. J'ai eu peur d'attenter à sa dignité. Il doit être beaucoup plus robuste qu'il n'en a l'air, s'il transporte pareil fardeau tous les jours.

— Pour être franche, expliqua Jenny en baissant la voix, les yeux fixés sur la porte, cela lui arrive rarement. Il le fait seulement quand il y a des hôtes. Le reste du temps, je m'en charge. Ne le lui répétez surtout pas, il se passerait une épée au travers du corps !

Il la regarda de cet air étrange qu'elle lui avait déjà vu quand elle lui avait confié son secret, au sujet des hôtes payants. Pourtant, c'est d'un ton léger qu'il lança :

— Et que faites-vous encore, en dehors de jouer les as de la mécanique et de porter le bois ?

— Je m'occupe du poulailler, je fais pousser des légumes...

— Mme Betterton semble aussi âgée que son mari. Vous vous chargez aussi de son travail ?

— Disons que je l'aide un peu... j'essuie la poussière... je fais les lits. C'est que la maison est immense !

— Et vous n'avez pas envie parfois de la quitter, de sortir ?

— Oh ! mais je sors ! Je travaille comme secrétaire à temps partiel. Deux fois par semaine.

— Puis vous rentrez chez vous au petit trot pour vous atteler à une tâche nouvelle ! Dites-moi, qui coupe le bois que vous portez ?

— Moi.

— En d'autres termes, conclut-il d'une voix neutre, tout le monde ici s'appuie sur vous. Si vous leur faisiez faux bond, tout s'écroulerait. Et nul ici ne comprend à quel point votre vie est dure ?

— Ma vie n'est pas difficile du tout, se récria-t-elle avec un petit rire gêné. Vous n'avez sans doute pas eu le temps de vous en apercevoir, mais je suis très résistante ! Regardez-moi ces biceps !

Elle leva le bras, faisant glisser son châle sans le vouloir. Le plus naturellement du monde, Philip saisit alors le haut de son bras qu'il encercla sans peine tant il était mince et délié.

— Il n'y a pas à dire, une vraie musculature de boxeur ! apprécia-t-il sur le même ton de plaisanterie.

Elle voulut lui répondre mais, comme choquée par une décharge électrique, ne dit mot : au moment précis où la main de Philip effleurait sa peau nue, une onde bouleversante la parcourut des pieds à la tête, lui ôtant tout entendement. Levant les yeux, elle fut surprise de le voir soudain si proche d'elle, souriant, les yeux étincelants.

Au bruit de pas qui s'approchait, comme pris en faute, ils s'écartèrent très vite l'un de l'autre. Jenny remonta en hâte le châle sur ses épaules, l'air coupable. Mais en quoi l'était-elle donc ? Ils avaient tout juste échangé une plaisanterie, il lui avait touché le bras, rien de plus. Pourtant, quand sir Leonard fit son apparition, son cœur cognait si violemment qu'il était impossible qu'il ne l'entendît pas. Mais non, il avait son visage habituel, empreint de noblesse et de hautain détachement. Une fois de plus, Jenny fut prise d'admiration devant la prestance du patriarche. De sa haute taille, il dominait même Philip, pourtant athlétique et élancé. On l'eût dit taillé dans un bloc de marbre et son abondante chevelure immaculée ajoutait encore à son allure.

Elle parla peu durant le dîner, tout occupée à observer les deux hommes. Sir Leonard devait être plus fatigué qu'il voulait le laisser paraître car ses manières avaient une sécheresse inaccoutumée. Il lui arrivait souvent, d'ordinaire, de questionner leurs hôtes, leur manifestant ainsi un amical intérêt. Mais cette fois, ses questions presque brutales, directes, semblaient exiger des réponses précises. Un interrogatoire, en quelque sorte.

— Ma mère était anglaise, expliqua Philip. Sa famille est originaire de la région ; un endroit nommé Mettenham.

— C'est à une cinquantaine de kilomètres d'ici. Vous comptez vous y rendre, je suppose ? Vous verrez, la ville est saccagée, défigurée. On y a construit des bâtiments modernes, hideux. C'est certainement très différent du souvenir que madame votre mère en a gardé.

— A vrai dire, elle ne s'en souvient guère. Elle avait à peine onze ans lorsque sa famille a émigré aux Etats-Unis. Mais elle disait que ses ancêtres, les Rhynham, reposaient tous au cimetière. Leur nom remonte, je crois, au douzième siècle. Et c'est ce que je voudrais vérifier. Il est rare de trouver une filiation aussi ancienne, chez un Américain.

— Cela m'étonnerait que vous retrouviez trace de vos aïeux à Mettenham. D'après ce que j'ai entendu dire, le conseil municipal a fait bétonner le cimetière pour en faire un parking...

— Grand-père ! Tu exagères ! Le conseil a présenté un projet de ce genre, mais rien n'est encore décidé et ne sera fait avant très longtemps.

— Vous voulez dire que les gens d'ici sont prêts à sacrifier leur passé historique pour leur sacro-sainte automobile ?

— Cela s'est déjà vu. Mais, si vous désirez

remonter le fil de votre généalogie, vous pouvez consulter les registres de la paroisse. Car c'est pour cela que vous êtes venu ici, n'est-ce pas, monsieur Thornhill ? C'est bien pour cela ?

Philip leva les sourcils, surpris par l'insistance du ton.

— Mon Dieu, monsieur, répondit-il avec beaucoup de gentillesse, il est bien connu que tous les Américains débarquent en Angleterre munis de tout un arsenal de documents anciens, avec la ferme intention de prouver qu'ils descendent de Guillaume le Conquérant. Ne le saviez-vous pas ?

Jenny faillit s'étrangler de rire, puis parvint à retrouver son sérieux. Elle pouvait taquiner à loisir son arrière-grand-père mais, jusqu'à présent, personne d'autre qu'elle-même ne s'y était risqué. Sir Leonard ne tolérait pas l'impertinence. Il resta interdit, fixa son interlocuteur comme pour le foudroyer de son aristocratique colère. Puis, brusquement, son visage se détendit et il éclata de rire.

— Bien fait pour moi ! s'écria-t-il. Alors, vous voulez retrouver vos ancêtres. Vous disposez de beaucoup de temps pour cela ?

— Un mois environ. Je suis libre comme l'air.

— Seuls les enseignants ont, à ma connaissance, d'aussi longues vacances...

— Ce n'est pas mon cas. En fait, je travaille dans l'hôtellerie. Je n'avais pas pris de vacances depuis trois ans. Cette fois, je me suis dit que si mon personnel n'est pas en mesure de se débrouiller quelque temps sans moi, c'est à désespérer de mes talents de pédagogue et de patron. Par ailleurs, j'envisage d'étendre mes activités jusqu'ici, de monter quelques hôtels dans la région...

Jenny le regarda, sidérée. S'il possédait une chaîne d'hôtels, il n'était pas d'aussi modeste condition qu'elle l'avait pensé tout d'abord. Et pourtant, quelque chose en lui évoquait le voyageur, l'éternel errant. Cet homme avait deux personnalités aussi contradictoires et naturelles l'une que l'autre. En avait-il d'autres ? Jouait-il la comédie ? Etait-ce un hypocrite ? Non ! Philip ne l'était pas. Pourtant, il avait su exactement comment démonter le mécanisme d'un individu aussi fourbe que Terris. Sa victoire sur lui avait été impressionnante et plus qu'inattendue chez un homme aussi courtois et raffiné.

— Je n'ai pas de programme bien établi, poursuivait Philip. Je suis arrivé à l'aéroport de Londres hier, j'ai pris le premier train pour la région, sans savoir exactement où il me mènerait.

— Pourquoi ici ? s'étonna Jenny. Mettenham est une petite ville plus animée, plus pratique que notre campagne. Vous n'auriez pas mieux fait d'y fixer votre quartier général tout de suite ?

— Au risque de manquer le splendide plafond de Dormer ? J'irai à Mettenham plus tard. Et puis, je me plais ici. J'aime cette atmosphère.

— Alors, j'espère que vous resterez longtemps chez nous, déclara sir Leonard. Le plus longtemps possible... Cette maison revit, respire quand elle abrite des hôtes. Vous pourriez louer une voiture convenable à Mettenham et vous en servir pour vos allées et venues. Vous seriez mieux ici que dans un hôtel anonyme.

Comment ? Grand-père allait jusqu'à inviter cet homme qu'il soumettait à la question quelques instants plus tôt avec tant d'agressivité ! Le cœur de Jenny en bondit de plaisir. Garder Philip à Carrister Hall...

— Vous pourriez aussi consulter nos registres paroissiaux, parvint-elle à articuler en dissimulant son émotion. Quelques Thornhill sont enterrés par ici.

— C'est un nom assez répandu. Il doit y avoir des Thornhill un peu partout en Angleterre. Je reconnais toutefois que cette idée m'enchante et que si cela ne devait pas trop vous déranger, j'accepterais très volontiers de séjourner ici.

— Tu arriveras bien à t'organiser, n'est-ce pas, ma petite fille ?

— Une personne de plus, cé n'est rien du tout ! assura-t-elle. Bien, je vais vous laisser prendre votre porto...

— Nous te rejoignons tout à l'heure dans la bibliothèque...

L'Américain restait à Carrister Hall ! La jeune fille se leva de table, en proie à une étrange euphorie. Une certaine inquiétude, aussi. Quelle idée de se mettre en pareil état pour un homme qu'elle ne connaissait que depuis quelques heures ! Elle ferma un instant les yeux, se revit avec lui dans la bibliothèque. Il s'était simplement contenté d'enserrer son bras nu d'un geste très doux. Rien de plus. Mais jamais encore elle n'avait ressenti pareille émotion.

Certes, elle avait été courtisée par des jeunes gens du village. Certains même l'avaient embrassée, mais aucun ne l'avait troublée. Elle en avait conclu qu'elle perdait son temps. Jamais encore, elle n'avait rencontré d'homme qu'elle ait eu envie d'embrasser, comme elle en avait éprouvé la tentation quand la bouche de Philip s'était trouvée si proche de la sienne. Elle en eut le vertige.

Assise dans la bibliothèque devant la tasse de thé apportée par Mme Betterton, elle entendit bientôt les deux hommes se rapprocher, en bavardant d'un ton amical.

— Votre mère vit encore ? demanda sir Leonard.

— Oui. Et mes deux jeunes sœurs restent auprès d'elle.

Il sourit à Jenny en entrant dans la pièce et vint s'asseoir à ses côtés.

— Je voyage souvent, expliqua-t-il. Mais lorsque je suis à Boston, j'habite chez elles.

— Et j'imagine qu'elles vous dorlotent comme un coq en pâte, fit sir Leonard, en choisissant un fauteuil près de la cheminée.

— Ma mère, certainement. Mais en ce qui

concerne mes sœurs, elles sont bien trop féministes pour ça ! J'ai pris l'habitude de préparer mon café moi-même.

— Vous tolérez une chose pareille ?

— Je n'ai pas le choix.

— Ah ! Ces femmes qui se donnent en spectacle et s'enchaînent à des grilles...

— Grand-père ! protesta Jenny. Tu parles des suffragettes ! C'était au début du siècle !

— En effet j'imagine mal mes sœurs s'enchaînant à des grilles. Elles seraient plutôt du genre à en arracher les barreaux pour s'en faire des épées ! Je préfère encore faire mon café tout seul !

— Ce qu'il vous faut, c'est une bonne épouse. Les femmes au foyer n'ont pas le temps de se livrer à de pareilles excentricités. J'ai connu autrefois des suffragettes. Ce qui me semble curieux, c'est qu'elles étaient souvent plus jolies que les autres, entourées d'une nuée de chevaliers servants prêts à se plier à leurs quatre volontés. Et, au lieu de se réjouir de leur pouvoir sur eux, que faisaient-elles ? Elles exigeaient les droits de la femme ! Quels droits ? Je n'en ai aucune idée !

La jeune fille se mordit l'intérieur des joues. Grand-père traversait ce qu'elle nommait en secret « son quart d'heure préhistorique ». Rude épreuve !

— Je crois qu'elles se battaient pour toutes celles qui n'étaient ni jeunes ni belles. Et pour elles-mêmes, quand jeunesse et beauté les auraient désertées, dit Philip gravement. Ces dons du ciel auxquels elles devaient leur puissance. Beauté, jeunesse, cadeaux fragiles, éphémères... Sitôt disparues accourent amertume et abandon.

Jenny lui jeta un regard reconnaissant tandis que sir Leonard se grattait la gorge, outré.

— Bien, admit-il. Cela explique peut-être pourquoi vous avez des sœurs féministes. On a les sœurs qu'on mérite...

— Quoi qu'il en soit, le féminisme est une maladie contagieuse. J'ai l'impression que si je me mariais un jour, il me faudrait aussi préparer mon café moi-même.

Un peu plus tard, alors qu'ils se séparaient pour la nuit, Philip demanda :

— Vous devez aller travailler demain, Jenny ?

— Non, je suis libre pour quelques jours à présent.

— Voulez-vous me servir de guide ? Me montrer le fameux plafond, le reste du manoir... et la région ?

— Oh ! mais bien sûr !

— Il faudra sans doute nous lever de bonne heure. Je réglerai mon réveil à l'aube.

— Ce n'est pas la peine, dit-elle en riant. Vous m'entendrez donner le grain aux poules, juste sous votre fenêtre. Je fais un bruit à réveiller tous les fantômes du château.

— C'est presque un rendez-vous... Bonne nuit, Jenny. Faites de beaux rêves.

Souhait superflu : elle dansait presque en regagnant sa chambre. Dormir ! Alors qu'elle vivait un rêve aussi merveilleux...

Chapitre trois

— Je propose que nous commençions par la galerie de tableaux.

Ils se trouvaient dans une salle toute en longueur, éclairée par de petites lucarnes perçant le plafond. Le soleil matinal faisait resplendir la chevelure fauve de Jenny.

— Voici notre ancêtre « fondateur » si l'on peut dire, commença-t-elle. Gilles Carrister, anobli par Henry V, en 1415. On dit que cela s'est passé sur les lieux mêmes de la bataille d'Azincourt où il battit les Français. En réalité, il paraît qu'il a intrigué jusqu'à ce que Henry V, dont il avait obtenu une vague promesse, le fasse chevalier pour avoir la paix !

— Je préfère la première version. Et ensuite ?

— Il a réussi aussi à obtenir une terre. Mais il n'avait pas un sou. Aussi s'est-il déniché une très riche héritière, ce qui lui a permis de rafler les terres avoisinantes. Sa femme et lui furent, dit-on, très heureux et eurent deux fils qui devinrent de respectables gentilshommes.

La jeune fille poursuivit sa petite chronique familiale, s'attardant parfois sur une anecdote amusante, tant était chaleureuse sa sympathie pour quelques-uns de ses ancêtres les plus pittoresques. Si bien que Philip s'exclama :

— Vous parlez d'eux comme s'ils étaient vos amis et non des personnages réduits en poussière depuis bien longtemps.

— Mais ils ne sont pas morts ! C'est ce qui est merveilleux dans une famille aussi ancienne que la nôtre. Les gens ne disparaissent pas vraiment. On dort, vit, respire dans leur chambre, leurs meubles, on retrouve leurs initiales gravées dans le bois, ou des traces intimes de leur existence. Loin de ne constituer qu'une galerie de portraits, ils sont des créatures de chair et de sang.

— Ceux que vous préférez ne sont pas toujours les plus honorables, n'est-ce pas ?

— C'est vrai. En fait, si notre famille s'éteint avec mon arrière-grand-père maintenant, elle a été très influente autrefois. Elle n'abusait pas de ses pouvoirs et ne manquait jamais d'aider ses serfs les plus misérables, mais...

— Mais ?

— Chez nous, les hommes ont toujours été extrêmement séduisants et si l'on en croit le journal d'une lady Carrister de l'époque, les pères outragés faisaient la queue à la porte du manoir, tempêtant parce qu'on avait abusé de leurs filles. C'est au dix-neuvième siècle que tout s'est gâté avec sir Justin, ami du prince de Galles. Ce dernier était très dépensier, si bien que pour le suivre dans ses folies, sir Justin a dû s'endetter, puis morceler cette terre qui aurait dû revenir intacte à son fils.

Tout en parlant, ils étaient arrivés sur une étroite terrasse bordant le toit. La vue y était absolument grandiose. Les bois, les champs ondulaient à perte de vue, d'un vert tendre annonciateur du printemps. Au loin, étincelait une rivière au bord de laquelle des poulains se poursuivaient, insouciants et vigoureux. Philip respira profondément.

— Je comprends pourquoi vous êtes attachée à ces lieux, Jenny.

— N'est-ce pas merveilleux ? C'est en de pareils moments que je remercie en secret le vieux Justin d'avoir morcelé la propriété. S'il ne l'avait fait, jamais cette maison ne serait à moi. J'en suis à présent la seule héritière et j'emploierai toutes mes forces, jusqu'à ma mort, pour la garder intacte.

— Il n'y a donc plus personne, une branche aînée, un descendant mâle de la famille qui ait des droits prioritaires ?

— Il n'y a plus de famille. Je suis la dernière des Carrister. Mon père n'avait ni frère ni sœur ; mon grand-père non plus. Et tous deux sont morts. Grand-père avait un frère, mais celui-ci est mort sans enfant, sans même avoir fait un testament. Le titre disparaîtra donc avec grand-père, puisqu'il ne peut me le transmettre. Il me laissera la maison parce que je suis la dernière du nom. Mais je sais bien qu'il aurait préféré avoir un héritier direct, baronnet à sa mort.

— Vous voulez dire que, dans ce cas, il vous aurait déshéritée ! Je n'en crois rien.

— Vous n'y êtes pas ! Grand-père souhaitait bien sûr qu'existe quelque part un Carrister mâle de mon âge, auquel il m'aurait mariée. Il aurait aimé que je devienne lady Carrister. Ce serait le seul moyen pour moi de l'être un jour. Je ne suis que l'honorable Jenny Carrister, titre mineur qui disparaîtra ainsi que mon nom si je me marie un jour.

— Votre grand-père vous aurait mariée de force ?

— C'est le devoir du chef de famille d'arranger des alliances flatteuses pour ses jeunes parentes, de peur que leur jeunesse et leur inexpérience n'unissent une famille respectable à des éléments indésirables.

Elle venait de réciter sa phrase d'un ton d'écolière appliquée, les yeux pétillants de malice.

— J'ai trouvé cela dans un antique manuel d'étiquette, expliqua-t-elle. Il date du seizième siècle et expose le code qui régissait les grandes familles d'autrefois. Il contient même un chapitre sur « la soumission qui convient à la femme »...

— Ne me dites pas que votre grand-père attend de vous ce genre d'attitude !

— Non, il sait très bien qu'il perdrait son temps...

— Pourtant, il aurait sans remord arrangé votre mariage ! Et si vous ne vouliez pas épouser cet homme ? Il ne vous y aurait tout de même pas forcée !

— Bien sûr que non ! Je crois qu'il m'aime beaucoup trop pour cela. Et c'est justement en raison de l'affection qu'il me porte qu'il tenterait de me convaincre. Il a été élevé à une époque où une jeune fille de bonne famille se soumettait aux avis de ses membres plus âgés et plus sages. Sir Leonard serait persuadé de faire mon bonheur.

— Et il serait à lui seul l'artisan d'une hypothétique félicité conjugale ?

— Naturellement ! s'écria-t-elle en riant. Comment voulez-vous qu'une jeune femme sans cervelle soit capable de prendre elle-même une décision d'une telle importance ?

— Il parle vraiment ainsi ?

— Parfois. Vous l'avez entendu, hier soir, à propos des suffragettes. Non seulement il s'exprime, mais pense ainsi. Il a quatre-vingt-sept ans, ne l'oubliez pas. Il est né sous le règne de la reine Victoria et avait à peine quatre ans quand elle est morte, mais il se souvient fort bien de ses funérailles. Il a vu le couronnement du roi Edouard VII et assisté à ses obsèques. Pour nous, cela fait partie des manuels d'histoire. Pour lui, au contraire, cela correspond à une réalité tangible à des êtres qui ont réellement existé.

Elle frissonna légèrement, car une brise fraîche rôdait sur le toit, traversant son léger vêtement. Aussitôt, Philip la prit par les épaules pour la ramener vers la porte.

— Vous auriez dû mettre un vêtement plus chaud que cette fine blouse...

Comment lui avouer qu'elle serait restée indéfiniment exposée au souffle frisquet du petit matin, simplement pour le plaisir d'être ainsi enlacée, protégée par son bras chaud et rassurant ?

— Voici le fils de Justin, lui dit-elle lorsqu'ils regagnèrent la galerie. Il ne valait guère mieux que son père. Il a seulement bu et joué davantage encore, si bien qu'il a fallu brader la plus grande partie de l'héritage. Il ne reste qu'une infime fraction du domaine et une maison que nous n'avons même pas les moyens d'entretenir.

— Vous oubliez l'orgueil des Carrister. Vous éclatiez de fierté, même quand vous en évoquiez les brebis galeuses.

— C'est vrai. D'ailleurs, seuls les plus cruels, les plus combatifs étaient anoblis autrefois. Sur le champ de bataille, il est vrai. Par comparaison les Carrister sont des anges de modération. Mais peu importe leurs défauts, leurs débordements et leur inconséquence. Ce qui compte est qu'ils formaient une lignée et que je suis des leurs. Cette demeure leur appartient et je ne reculerai devant rien pour la préserver !

— Eh ! là ! Du calme ! plaisanta Philip, surpris de la véhémence de son ton. Je n'ai pas l'intention de vous la prendre !

— Excusez-moi, mais tant de gens la convoitent !

— Qui par exemple ?

— Oh ! Ce serait trop long à raconter. Ce ne sont pas toujours des personnes physiques, mais des entreprises, des promoteurs, des circonstances. Un bâtiment de prestige comme celui-ci n'a pas sa place dans le monde d'aujourd'hui. Tout semble conspirer contre sa survie...

— Sir Leonard se sent-il aussi menacé que vous ?

— Il ignore mon inquiétude et je ne veux pas qu'il le sache. Je vous en prie, Philip, n'allez rien lui raconter !

— Mais enfin, Jenny, vous ne pouvez supporter seule ce lourd fardeau. Vous faites face, seule, au monde entier, vous vous battez contre des moulins

47

à vent, comme don Quichotte. Vous n'êtes pas assez forte pour ce genre de combat.

— Je suis capable de me défendre ! protestat-elle, en le regardant d'un air méfiant. Oubliez, je vous prie, tout ce que je vous ai dit. J'avais envie de « râler » un peu, d'extérioriser des sentiments tus trop longtemps, c'est tout. Continuons plutôt notre visite ! J'ai encore beaucoup de choses à vous montrer !

Il ne dit mot, mais la considéra d'un air songeur et vaguement attendri. Un instant plus tard, Jenny sentit la chaleur et le poids d'une main ferme sur son épaule. Et soudain, il lui sembla que tout ce qu'elle n'avait su exprimer, il le devinait, le comprenait. Après tant de nuits sans sommeil, tant de jours à garder pour elle ses graves soucis financiers, quelle merveille de se savoir soudain entendue, soutenue.

Elle s'arrêta devant un immense tableau représentant un homme d'âge mûr, assis sur une pelouse, qui ressemblait beaucoup à sir Leonard. A sa gauche se tenait un jeune homme. A droite, une anomalie accrochait immédiatement le regard. De toute évidence, cet énorme chien, ce labrador maladroitement peint, avait été rajouté ultérieurement par un autre artiste. Il semblait disproportionné avec les autres personnages du tableau.

— Voici sir Henry, mon trisaïeul. Et à côté de lui mon bisaïeul, grand-père, âgé de dix-huit ans. C'était en 1914.

— Mais qu'est-il donc arrivé à la partie droite de cette toile ? Il est impossible qu'elle ait été composée ainsi à l'origine.

— Oh ! non ! C'est la conséquence d'un scandale de famille. Il y avait en réalité les portraits de trois personnes, dont sir Henry. La troisième était George, l'aîné de grand-père. Peu après l'exécution du tableau, grand-père et son frère ont été envoyés sur le front. Mais il est arrivé une chose terrible à ce pauvre George ; dans les tranchées, face à l'ennemi, ses nerfs ont craqué et il s'est enfui, abandonnant son arme. Il a été accusé de désertion.

— N'a-t-on pas tenu compte du choc, d'une commotion cérébrale consécutive à l'explosion d'obus ? C'est arrivé à un tas de pauvres types qui passaient pour des lâches, alors qu'ils étaient victimes d'un accident nerveux. Personne n'a donc plaidé en sa faveur ?

— Cela se passait en 1916. A cette époque, les médecins militaires se préoccupaient peu des états de choc. La neurologie était une science encore neuve. Qui fuyait l'ennemi était fusillé sans pitié. Quelqu'un aurait peut-être pris sa défense devant la cour martiale, mais il est mort avant son procès.

Jenny contempla d'un air pensif le visage implacable de son aïeul. Le peintre avait très bien rendu la dureté du regard et l'esquisse d'un sourire qui, loin d'adoucir son expression, reflétait un monstrueux orgueil. Celui d'un homme qui, envoyant ses deux fils défendre sa patrie, préférait les voir morts que déshonorés.

— J'ai toujours pensé que le vieil Henry devait être un personnage impossible, murmura-t-elle. Froid, dur, sans la moindre parcelle d'indulgence. Il n'admettait pas que l'on discute ses principes rigides. Il régnait en despote absolu sur sa famille, comme c'était souvent le cas à l'ère victorienne. A la suite de l' « accident », il a fait rayer le nom de ce pauvre George de la bible familiale et interdit à sa femme de prononcer jamais son prénom devant lui.

— Oui, un de ces êtres qui ignorent le pardon et causent plus de mal que...

Philip s'interrompit, soudain rêveur et lointain, comme s'il soliloquait, oubliant la présence de la jeune fille.

— Vous avez raison, déclara celle-ci. Je crois que sir Henry a causé plus de chagrin à sa femme que George lui-même. Il a fait disparaître toute trace de ce fils honteux qui jetait, selon lui, le déshonneur sur la famille. Le peintre a sans doute refusé d'effacer son portrait et sir Henry a dû s'adresser à quelqu'un d'autre...

— Qui a complètement saboté le tableau !

Philip paraissait à la fois fasciné et horrifié.

— Ce n'est sans doute pas la faute du peintre... Sir Henry posait la main sur l'épaule de son fils George. En effaçant ce dernier, il fallait bien faire reposer la main sur quelque objet de même taille. D'où ce chien immense pour que la tête arrive à la bonne hauteur... C'est le dernier tableau de la galerie. A présent, je vais vous montrer les photographies.

Elle lui commenta chacune d'elles.

— Et là, c'est mon père. La petite fille sur ses genoux, c'est moi. Il est mort quand j'avais huit ans.

— Vous l'aimiez beaucoup, n'est-ce pas ?

— Oh ! oui ! soupira-t-elle d'une voix très douce. Pourtant grand-père prétend qu'il n'était bon à rien.

— Il dit cela de son propre petit-fils ?

— Mais lui seul en a le droit ! Il aurait assommé quiconque se serait permis la moindre réflexion désobligeante à son égard. A mon avis, mon père était resté un éternel enfant. C'est certainement pourquoi nous nous entendions si bien, lui et moi.

— Et votre mère ? Je ne vois aucune photo d'elle...

— Il n'y en a pas.

— Est-elle morte ?

— Non... A vrai dire, je n'en sais rien...

— Comment, vous ne savez pas...

— Je n'ai plus entendu parler d'elle depuis tant d'années ! Je préfère ne pas y penser.

— Ni même en parler ?... Comme vous voudrez...

Elle sourit en manière d'excuse mais lui fit comprendre que le chapitre était clos. Ils redescendirent lentement jusqu'au rez-de-chaussée, faisant halte devant tel ou tel détail d'architecture ou de décoration. Philip posait de nombreuses questions, sensibles et pertinentes. Il semblait aimer lui aussi cette maison qu'elle vénérait. D'instinct, Jenny se sentait proche de lui.

Enfin, ils arrivèrent dans la salle des banquets au célèbre plafond décoré par Dormer. Philip resta un long moment silencieux, les yeux fixés sur la fresque.

— Maintenant, je comprends... murmura-t-il.

— Vous comprenez quoi ? Pourquoi il s'est mis au dessin à la plume ?

— Non. Pourquoi il a quitté l'Angleterre. Sans doute pour éviter d'être lynché...

— J'ai toujours trouvé son style hideux, avoua-t-elle en éclatant de rire. Mais il était très recherché de son temps. Les Carrister l'appréciaient sûrement, puisqu'il a réalisé de nombreux portraits des membres de la famille, des veuves surtout, une sorte d'hymne à la vertu triomphante... D'où les nuages et les petits Amours bouffis...

— Oui... Un peintre bien médiocre. A voir ce barbouillage prétentieux on imagine mal qu'il ait pu devenir par la suite un excellent dessinateur, au trait vif et brillant. Ses croquis du Massachusetts sont réellement remarquables. Oh ! Une tribune d'orchestre. Quelle merveille ! Est-ce authentique ?

— Oui, elle date du seizième siècle. J'ai dû condamner l'accès de cette chaire parce que les marches ne sont plus très solides et les balustres rongés par les termites. Si vous saviez comme j'aimerais pouvoir restaurer ce balcon !

— Cela coûterait sans doute une fortune, mais elle en vaut la peine, murmura Philip, comme pour lui-même. Regardez-moi cette cheminée ! Cinq hommes y tiendraient sans peine et on pourrait y rôtir un bœuf entier ! Il y a des nostalgiques du passé qui traverseraient un continent pour séjourner dans un endroit pareil... avec cette atmosphère...

— Personne ne viendra ici ! coupa Jenny sèchement. Faire de Carrister Hall un hôtel ! Quelle idée !

— Ai-je dit cela ?

— Cela se lisait sur votre visage ! Vous expliquiez, hier, que vous projetiez d'installer des hôtels par ici. Tenez-vous-le pour dit : pas chez moi !

— Compris, compris... Vous voilà bien agressive ! Entendu, Miss ! Ne m'en veuillez pas mais c'est de la déformation professionnelle ; je ne peux pas voir un bâtiment élégant sans l'imaginer aussitôt en hôtel... Et d'ailleurs, si nous parlions un peu de vos hôtes payants...

— Recevoir des hôtes de temps en temps et être envahis par des hordes de touristes sont deux choses bien différentes ! Vous ne comprenez donc pas, Philip ? Vous aimez l'atmosphère de cette maison. Mais c'est ce que ces gens-là détruiraient en premier !

— Ne pensez-vous pas que ce pourrait être une solution à vos problèmes ? A la mort de votre arrière-grand-père, vous aurez d'énormes droits de succession à payer. Vous serez peut-être obligée de tout vendre pour pouvoir les acquitter ! Admettons que je vous achète le manoir, vous en obtiendriez un bon prix. Et vous y resteriez aussi longtemps que vous le désireriez. Vous pourriez aussi diriger l'hôtel pour moi. Vous seriez gagnante sur tous les tableaux.

Les dents serrées, les yeux étincelants de rage et de mépris, elle jeta :

— Je préférerais encore y mettre le feu moi-même plutôt que de permettre une chose pareille. Mieux vaudrait rester sans le sou toute ma vie plutôt que de laisser Carrister Hall à quelqu'un qui n'y verrait qu'une source de profit. Je vous en prie, Philip, allez placer votre argent ailleurs. Je n'en veux pas. Et grand-père non plus.

— Je reconnais que je n'aurais jamais osé lui proposer cela.

— Vous n'auriez jamais dû le faire à moi non

plus. Oh ! Je sais bien qu'il est très âgé et que je suis encore jeune. Environ soixante-dix ans et un univers nous séparent, lui et moi ; nous vivons dans deux mondes tout à fait différents. Mais nous sommes des Carrister et, au fond, nous nous ressemblons. Pas de demi-mesures, pas de quartier pour les gêneurs.

— Je sais. En ce moment même, vous lui ressemblez étrangement. Je suis navré, Jenny. Je ne voulais pas vous bouleverser ainsi...

Bouleversée ! C'était bien pis. Tout s'écroulait. Admiration, tendresse, sentiments naissants. Ainsi son attitude chaleureuse et amicale n'était autre que l'amabilité de commande d'un homme d'affaires...

— Venez... Je vais vous montrer le reste de la maison, dit-elle, désabusée.

Le cœur n'y était plus et son hôte dut s'en apercevoir car il interrompit soudain son morne monologue de guide touristique.

— Et si vous me faisiez plutôt visiter les environs ? Une bonne promenade à cheval ne me déplairait pas.

Elle acquiesça et monta se changer. Quand elle le rejoignit dans l'entrée, Philip l'attendait, vêtu d'une veste de tweed et botté de cuir étincelant. Ses vêtements de sport, coupés par quelque prestigieux tailleur de Londres ou de Milan, en faisaient un tout autre homme que le sympathique aventurier de la veille. Oh, non ! il n'avait pas le droit d'être aussi riche, aussi beau et racé ! Et le sourire avec lequel il accueillit la jeune fille manqua la faire défaillir, malgré sa rancœur.

Durant le trajet, elle ne put s'empêcher de lancer :

— Vous vous êtes bien moqué de moi, hier, n'est-ce pas ?

— Vraiment ? Je ne m'en souviens pas.

— Mais oui, quand je vous ai demandé si vous aviez quelque chose de présentable à porter pour le dîner. Vous auriez pu me dire tout de suite que vous possédiez une garde-robe de star !

— Et comment ? En faisant devant vous étalage de ma fortune, comme le dernier des parvenus ? Et d'ailleurs, j'étais bien trop subjugué par vos yeux incroyables pour prêter la moindre attention à ce que vous disiez.

— C'est une habitude chez vous de flirter avec vos logeuses ?

— Seulement avec les plus jolies. Ecoutez, Jenny, ce n'est quand même pas ma faute si vous m'avez pris pour un clochard ! Je voudrais bien savoir pourquoi, d'ailleurs.

— Parce que vous sembliez voyager comme un « routard ». Vous arrivez sans programme défini. Vous louez n'importe quelle voiture...

— J'aime me balader ainsi. Cela satisfait le vagabond qui sommeille en moi. Un de mes ancêtres devait être nomade ou gitan.

Chevalier errant ou bandit de grands chemins ? Jenny rejeta aussitôt cette pensée, préférant anticiper l'agréable journée qu'il lui avait promise. Le manège n'était d'ailleurs plus très loin.

Philip insista pour payer la location des deux chevaux, arguant que, sans lui, elle ne serait pas venue ce jour-là. Quand il aperçut la monture qu'on menait à la jeune fille, il ne put s'empêcher de s'exclamer, les sourcils froncés :

— Croyez-vous vraiment que ce soit un cheval convenable pour une... presque lady ?

— Il me convient à moi ! Chaque fois qu'il est libre, je choisis Samson. Oh ! Je sais ! Il semble avoir mauvais caractère mais il est seulement plein de vie. Mais... peut-être vouliez-vous une simple promenade au pas ?

— Ne craignez rien, assura-t-il en éclatant de rire. Je serai à la hauteur !

Quelques instants plus tard, ils galopaient dans la campagne et, sans même éprouver le besoin d'échanger un regard, ils se défièrent en une course éperdue.

Jenny prit très vite de l'avance. Enfin, elle s'arrêta et se retourna pour attendre son compagnon, les joues rosies par l'air vif, quelques boucles folles s'échappant de son catogan. Son cœur battit encore plus fort devant l'admiration sincère qui se lisait dans les yeux du jeune homme.

— Moi qui étais resté en arrière pour pouvoir vous relever en cas de chute ! Vous ne maîtrisez pas votre cheval, vous êtes une véritable amazone !

Ils firent aller leurs montures au petit galop jusqu'à l'orée d'un bois. Une rivière courait, chantante, parmi les arbres. Dans les branches fleuries, d'invisibles oiseaux s'affairaient, piaillant, bruissant, intrigués par cette intrusion. Les deux cavaliers parvinrent enfin dans une sorte de clairière dont l'herbe épaisse descendait jusqu'au bord de l'eau. Ils laissèrent leurs chevaux se désaltérer, avant de les attacher et firent quelques pas sur la berge.

— A propos de logeuse, revenons à nos moutons, vous ne m'avez toujours pas indiqué ce que je vous dois pour mon hébergement...

Jenny le lui dit très simplement.

— Comment ? s'exclama Philip, scandalisé. Vous ne pouvez pas demander si peu ! Mais cela couvre à peine vos frais. Je tiens à vous payer une pension plus convenable !

— C'est tout à fait suffisant, je vous remercie. Je n'ai pas besoin de votre charité.

Pourquoi cette remarque acerbe ? Pourquoi ne pouvait-elle oublier sa déception de ce matin, l'effritement du héros qu'elle s'était forgé ? Un lourd silence s'installa entre eux.

— Décidément, j'ai le don de mettre les pieds dans le plat aujourd'hui... Je ne voulais pas vous blesser...

— Pardonnez-moi. Je suis très agressive, en ce moment... murmura-t-elle.

De son bras fort et rassurant, il lui enserra les épaules et l'attira vers lui.

— « Mon garçon », je vous admire de mener pareil combat. D'après ce que j'ai pu observer, tous ici profitent de votre énergie et de votre courage ; et je ne veux pas en faire autant. Vous êtes l'être le plus « solide » que je connaisse. Mais là où le bât blesse quand on paraît invulnérable, c'est que les faibles s'accrochent à vous et vampirisent jusqu'à vos dernières forces.

Elle faillit éclater en sanglots. Enfin, quelqu'un la comprenait ! Elle ne pouvait cependant laisser Philip parler ainsi de son arrière-grand-père et des Betterton.

— Ce ne sont pas des faibles mais de grands vieillards, c'est tout ! Ils ne peuvent rien contre les années ! Ils ont été forts autrefois et, alors, c'étaient eux qui s'occupaient de moi.

— Mais à présent, ils sont très âgés et vous les prenez en charge tous les trois. Ils vous volent votre jeunesse.

Avec douceur, il lui enleva sa bombe de cavalière. Des boucles indociles encadrèrent aussitôt le visage de la jeune fille et glissèrent sur son front.

— Quel âge avez-vous, Jenny ?

— Vingt ans.

— Grands dieux ! Vous paraissez dix-huit ans à peine ! Pourtant, derrière ce visage d'enfant. se cache une âme de guerrière redoutable...

La prenant par les épaules, il plongea son regard dans le sien, un regard d'une intensité troublante. Le cœur affolé, d'une voix un peu altérée, elle parvint à répliquer gaiement :

— Attention ! Elle pourrait bien déterrer la hache de guerre !

— J'ai déjà eu quelques échantillons de son ardeur combative ! Mais vous pouvez remballer votre arc et vos flèches, Jenny. Je ne suis pas un ennemi.

Comme pour le lui prouver, il la serra contre lui,

chercha ses lèvres. Et, en proie à un délicieux vertige, elle oublia tout. Seules comptaient cette bouche à la fois persuasive et exigeante, cette étreinte d'acier, la chaleur de son corps contre le sien. Son odeur saine, virile, bouleversait ses sens, faisant naître en elle un indéfinissable désir.

Leurs lèvres se quittèrent à regret mais il la garda blottie contre lui.

— Attention à mon naturel guerrier, murmura-t-elle, les yeux embrumés d'émotion.

— J'en accepte les risques. L'enjeu vaut bien quelques blessures...

— Quel enjeu ? eut-elle envie de demander, mais il ne lui en laissa pas le temps.

Déjà sa bouche chaude et impérieuse reprenait la sienne avec passion. Les doigts enfouis dans son épaisse chevelure, elle se serra contre lui de toutes ses forces. Si seulement elle pouvait rester toujours ainsi, dans ses bras... Mais soudain Philip la repoussa. Elle eut froid, tout à coup.

— Je crois qu'il vaudrait mieux rentrer, dit-il d'une voix étrangement oppressée. Quelle idée aussi de rester seul avec vous dans cette clairière de conte de fées ! Et cessez donc de me sourire et de me regarder avec ces grands yeux verts troublants de mystère ! Sinon, vous allez me faire oublier mes bonnes résolutions...

Il lui caressa tendrement la joue du bout du doigt. Le cœur de Jenny cognait d'un bonheur jamais ressenti qui ne la quitta pas jusqu'au moment où, ayant rendu les chevaux au manège, ils reprirent la route de Carrister Hall. Comme d'habitude, elle arrêta la voiture au dernier virage, afin de contempler la vieille demeure.

— Ah ! Non ! Regardez-moi ça... cette voiture... C'est encore lui ! s'exclama-t-elle, frémissante de rage.

— Qui donc ?

— Lui. Notre ennemi n° 1. Je lui ai pourtant dit

que la prochaine fois qu'il viendrait importuner grand-père, je le chasserais à coups de fusil!

Elle remit le moteur en marche et démarra dans un hurlement de pneus, l'air féroce, les yeux fixés sur l'innocente automobile noire garée devant la maison. Elle freina brutalement, sortit en claquant la portière à la volée et lui lança un regard destructeur. La grande porte d'entrée s'ouvrit et Betterton s'avança vers elle.

— Où est-il? hurla-t-elle. Vous l'avez laissé entrer?

— Mademoiselle! s'indigna le vieil homme. Je connais mon devoir. Bien entendu, j'ai refusé. Mais la maison ne l'intéresse pas. Il dit qu'ils vont la raser.

— Ils devront m'abattre pour ça!

— Ne voulez-vous pas m'expliquer ce qui se passe? demanda alors Philip. Qui veut démolir la maison?

— Le conseil municipal... s'il arrive à l'acheter. Cela fait longtemps qu'ils essaient de l'acquérir par tous les moyens pour installer à sa place une coopérative agricole. La maison serait aussitôt condamnée. Sa réfection leur coûterait les yeux de la tête, disent-ils. Ils construiraient sur l'emplacement dégagé des bâtiments fonctionnels et bon marché.

— Peuvent-ils vous forcer à vendre?

— Oui, s'ils se mettent tous d'accord. Dieu merci, ils n'y parviennent pas. Il y a trois ans, ils ont failli réussir. Mais, depuis, le conseil municipal a changé d'orientation politique. Nous avons donc pu tenir bon. Seulement, de nouvelles élections auront lieu dans quelques mois. Si l'ancienne majorité reprend la tête de la commune, nous serons obligés de céder. Ils le savent et c'est pour cela qu'ils osent venir nous narguer.

— En ont-ils le droit?

— Que pouvons-nous y faire? Nous leur refusons l'accès à la maison, mais ce n'est pas cela qui les intéresse. Ce qu'ils veulent, c'est la terre. Ils espèrent nous démoraliser avant les élections, afin que nous cédions, de guerre lasse. Naturellement, chaque fois que grand-père les voit, cela le met hors de lui et un jour...

Sa voix se brisa. Aussitôt une main rassurante se posa sur son épaule, la secoua gentiment.

— Eh bien, nous allons faire en sorte qu'il ne le rencontre pas cette fois-ci ! Qu'en pensez-vous ? C'est cet individu ?

Un jeune homme s'approchait d'eux.

— Oui, c'est lui. C'est Jack Esterby.

— Celui que vous avez juré d'abattre, je suis au courant. Mais pas maintenant ! Rentrez à la maison.

Il parlait d'un ton si tranquille qu'il fallut un certain temps à Jenny pour réaliser qu'il s'agissait d'un ordre. Ainsi, il osait la sommer d'obéir dans sa propre demeure, prenant lui-même le commandement des opérations !

— Je suis parfaitement en mesure de...

— Vous ne le pouvez pas. Vous êtes incapable de l'expulser physiquement de votre propriété. Vous le savez bien, Jenny...

Elle s'écarta de lui et s'avança d'un pas ferme à la rencontre de Jack Esterby qui l'attendait, l'air goguenard, le regard froid.

— Je vous avais dit... commença-t-elle.

— Dans quelques mois, ce domaine sera la propriété de la municipalité. Et j'ai parfaitement le droit de visiter les futures terres des administrés dont je suis le représentant élu. Pourquoi vous obstiner ? Le vieux bonhomme en recevra un bon prix, compte tenu de l'état de dégradation dans lequel se trouve le domaine. Vous seriez bien mieux ailleurs.

Il jeta à la maison un regard méprisant, en haussant les épaules. Jenny serra les poings. Mais avant qu'elle eût pu réagir, Philip s'interposa et la prit par le bras.

— Je vous ai dit de rentrer ! dit-il d'un ton ferme.

— Je n'ai pas d'ordres à recevoir de vous ! Cela ne se passera pas comme ça, je vais lui clouer le bec une bonne fois pour toutes !

— Vous allez rentrer immédiatement ou je vous entraîne de force.

Elle eut un hoquet de surprise devant un Philip au regard menaçant, le même que la veille, lors de son altercation avec Terris. Oui, il serait fort capable de la porter lui-même jusque dans le hall. La même pensée devait avoir traversé Betterton car celui-ci s'empressa de lui ouvrir la porte. Folle de rage, elle secoua son bras, se dégagea de la poigne de fer de Philip et rentra chez elle.

Elle entendit aussitôt sir Leonard l'appeler du haut de l'escalier qu'il descendit à sa rencontre. Il était à mi-parcours du rez-de-chaussée quand il chancela, perdit l'équilibre, dévala quelques marches et s'écrasa au sol. Jenny se précipita vers lui, folle d'angoisse, suivie de Betterton. Le vieillard parvint à se redresser en s'appuyant sur eux. Jamais encore la jeune fille n'avait éprouvé pareille joie à l'entendre jurer ! La vigueur d'expression du vieux monsieur valait le meilleur bulletin de santé du monde ! Toujours soutenu, il entra dans la bibliothèque.

— Cessez de faire tant d'embarras ! grommela-t-il en se dégageant. Je ne me connais aucun ennui qui ne soit réparable avec un bon whisky.

Betterton lui en apporta un verre.

— Que se passe-t-il donc alors ?

— Rien. Je rentre avec Philip d'une promenade à cheval. Je lui ai montré un peu le pays.

— Parfait ! Cela te fait le plus grand bien de prendre l'air.

Dès qu'elle le put, Jenny se campa devant la fenêtre d'où, à sa grande surprise, elle vit s'éloigner la voiture de Jack Esterby. Les arguments de Philip, quels qu'ils fussent, avaient produit un effet immédiat ! Mais où était-il donc ? Elle ne l'aperce-

vait nulle part. Enfin, il surgit dans la bibliothèque.
De toute évidence, il s'était assuré du départ d'Esterby.

— Que diable lui avez-vous dit ou fait pour qu'il
se sauve ainsi, sans demander son reste ?

Une ombre fugitive crispa le visage de son hôte.

— Est-ce très important ? Ce qui compte est que
vous ne soyez plus importunée par lui.

— Merci de m'en avoir débarrassée. Mais j'aimerais en savoir davantage.

— J'ai dit que vous ne serez plus importunée par
lui, déclara Philip d'une voix tranquille. Je préfère
que nous en restions là.

— Qui vous permet de me donner des ordres
dans ma propre maison ?

— J'ai pensé que l'affaire se réglerait plus facilement entre hommes. J'ai dit à ce type des choses à
faire rougir la plus endurcie des amazones...

— Mais c'est une réflexion de l'âge de pierre !

— C'est cette maison qui veut ça. Son antique
atmosphère commence à m'influencer.

Puis il remonta l'escalier en riant, la laissant
plantée là, telle une idiote, dans le hall. Oh !
Comme elle aurait aimé trépigner de rage, si elle
n'avait été... une amazone !

Chapitre quatre

Le lendemain, Philip se rendit seul au manège, tout de suite après le petit déjeuner, ce qui permit à Jenny de travailler au livre du Dr Whickham. Quand il revint, en début d'après-midi, elle avait terminé la frappe du chapitre remanié et s'apprêtait à l'apporter au professeur.

— Je dois aller au village de King's Carrister, déclara son hôte. J'ai quelques achats à faire.

— Alors donnons-nous rendez-vous au cottage du Dr Whickham et nous rentrerons ensemble...

Il était près de cinq heures quand il la rejoignit là-bas. Bien entendu, l'écrivain refusa de le laisser partir avant d'avoir pris un sherry et bavardé avec lui. Philip venant du Massachusetts et le vieux professeur préparant un ouvrage sur les colons anglais fondateurs de New Plymouth sur la côte est des Etats-Unis, le sujet de conversation s'avéra inépuisable. Oubliée des deux hommes, Jenny put à loisir observer l'Américain, séduite par ses traits virils, tendus, attentifs, par l'intelligence de son regard aux reflets sombres. Du plus loin qu'elle se souvenait, jamais elle n'avait éprouvé un tel apaisement, une joie aussi profonde et sereine. C'est alors que la porte s'ouvrit, livrant passage à Olympia.

De toute évidence, elle arrivait à l'improviste. Ô désespoir ! Pourquoi, mais pourquoi fallait-il que l'éblouissante créature à laquelle aucun homme ne résistait vînt ainsi lui gâcher ce moment de rare perfection ? La fille du Dr Whickham offrait la vision parfaite d'une femme sophistiquée, à la coiffure et au maquillage sans défaut, vêtue d'une jupe et d'un gilet de daim fauve portés avec une blouse de soie verte. Même pour une jeune fille aussi inexpérimentée que Jenny, il ne faisait aucun doute que le capiteux parfum de la journaliste coûtait une petite fortune.

La jeune femme embrassa son père comme s'ils ne s'étaient pas vus depuis une éternité. Jenny subit sans broncher le même assaut.

— Ma chère Jenny, quel plaisir de vous revoir ! s'exclama Olympia de sa belle voix un peu voilée. J'ai profité d'un congé imprévu pour venir ici et j'arrive tout droit de Londres. Tu ne m'en veux pas de n'avoir pas téléphoné, père ?

— Bien sûr que non ! s'exclama le Dr Whickham d'un ton affectueux.

Vaguement réticente, la jeune fille présenta Philip à Olympia. L'admiration qu'elle lut dans le regard de l'homme lui écorcha le cœur. De son côté, l'irrésistible beauté ne cacha pas qu'il lui plaisait également. Elle lui décocha un de ses carnassiers sourires et vint s'installer sans façon sur le canapé, près de lui.

— Je veux tout savoir de vous ! minauda-t-elle.

Il s'exécuta de bonne grâce, tandis que Cendrillon, abandonnée, essayait désespérément de fixer son attention sur les feuillets griffonnés du Dr Whickham. Lui aussi semblait avoir l'esprit ailleurs en lui donnant ses instructions, pressé sans doute de les voir partir afin de rester seul avec sa fille.

— Voici deux carnets dans lesquels j'ai noté une première ébauche de mon ouvrage sur les colons anglais d'Amérique. Il faudrait me recopier les passages les plus longs. Revenez dans quelques jours, même si vous n'avez pas fini. Le carnet bleu est le plus important. Vous devriez commencer par lui.

Jenny fourra les deux carnets dans son grand sac. Olympia lui tendit un second verre de sherry.

— Non, merci, dit-elle sèchement. Pas d'alcool au volant. Et, d'ailleurs, il faut que nous rentrions.

— Oh! Ma petite Jenny! Laissez-vous tenter, pour une fois. Philip n'a pas encore fini son verre. Non, décidément vous n'en voulez pas? Tant pis, donnez-le à mon père!

Saisissant le verre, la jeune fille s'avança vers le maître de maison qui bavardait avec Philip. Elle lui tendit le sherry.

— De la part d'Olympia. Je m'attarderais volontiers, mais grand-père ne badine pas avec les horaires...

Philip comprit immédiatement le message et termina son propre verre.

— Pardonnez-moi de vous avoir retenu si longtemps, monsieur. Vous rencontrer fut un plaisir. Et le sujet de votre ouvrage... passionnant, inépuisable. Jenny, quand vous voudrez...

— Je suis sûre que nous aurons l'occasion de nous revoir souvent pendant mon séjour ici, affirma Olympia. A très bientôt. Tenez, Jenny, n'oubliez pas votre sac!

Dans la voiture, cette dernière se détendit enfin. Elle reconnut même avec Philip que la fille du Dr Whickham était charmante.

— La seule fois où j'ai vu Olympia furieuse, ce fut le jour où je l'ai appelée Ollie. Elle déteste ça. Cela lui rappelle la vieille chouette d'un conte d'enfant!

— Les gens n'apprécient pas toujours les diminutifs, fit son compagnon d'un ton indulgent. Aimeriez-vous qu'on vous appelle Jennifer?

— Sûrement pas, répondit-elle sèchement.

— Pourquoi?

— Parce que ce n'est pas mon nom.

— Jenny n'est donc pas le diminutif de Jennifer ? Mais alors de quoi ?

— C'est sans importance...

— Vous êtes fâchée...

— Mais non, je ne suis pas fâchée !

— Oh ! Si ! Vous n'aimez pas votre nom ?

— Non !

— Allons, confiez-vous à moi, petite fille. Je jure de ne pas le répéter.

— Non, non et non !

— Allons bon ! J'ai encore fait une gaffe, dit quelque chose de déplaisant ? soupira-t-il.

— Oui !

Ce soir-là, quand la jeune fille laissa sir Leonard et leur invité prendre le porto, après le dîner, tous deux étaient plongés dans une discussion animée sur les chevaux. Ils ne sont pas près de me rejoindre dans la bibliothèque, songea-t-elle, résignée. Elle en profita pour aller chercher son sac contenant les carnets du Dr Whickham. En attendant, elle pourrait déjà jeter un coup d'œil à ses notes. Au moment même où elle plongeait la main dans sa sacoche, elle pressentit confusément qu'il y manquait quelque chose. Le carnet bleu ! Le plus important. Celui auquel tenait le professeur. Anxieuse, elle renversa le contenu du sac sur le sol. Le carnet rouge était bien là, mais aucune trace de l'autre. Comment cela avait-il pu se faire ? Vite, se rappeler chacun de ses faits et gestes de l'après-midi. Reconstituer chaque détail... C'est à ce moment-là qu'un bruit de moteur, suivi d'un tintement de cloche la tira de ses réflexions.

— Mademoiselle Whickham, annonça Betterton, à l'entrée de la bibliothèque.

Il s'écarta. Olympia apparut, le carnet à la main.

— Dieu merci ! s'écria Jenny. J'étais justement en train de me demander comment j'allais annoncer sa disparition à votre père.

— Je suis vraiment désolée, ma chère. C'est ma faute. Vous alliez le mettre dans votre sac quand je vous ai tendu un verre de sherry. Alors vous l'avez posé sur la table et l'avez oublié. J'ai préféré faire un saut jusqu'ici, car père prétend que c'est plus urgent qu'il ne le pensait. Il aurait besoin de toutes ses notes dactylographiées pour demain après-midi. Croyez-vous pouvoir y arriver ?

— Je pense que oui, répondit Jenny en feuilletant le carnet. En y travaillant toute la matinée, sans traîner...

— J'aurais pu venir un peu plus tôt mais père m'a monopolisée toute la soirée ; j'ai dû attendre qu'il soit couché. Le dîner n'en finissait pas. Un dîner habillé en tête à tête, figurez-vous. Oh ! juste une petite robe de trois sous. Il n'y a vu que du feu !

Une petite robe ! Elle ressemblait à un véritable mannequin de haute couture dans son fourreau de jersey noir au décolleté vertigineux qui soulignait de séduisantes rondeurs, mettant en valeur son teint nacré et le blond platine — naturel et soyeux — de sa chevelure. Pourvu que Philip ne la voie pas, pria Jenny tout bas. Elle est trop belle. Une véritable héroïne de cinéma. Hélas ! les deux hommes sortaient de la salle à manger et se dirigeaient vers la bibliothèque. Il fallut bien prier Olympia de rester. Comme si cette invitation allait de soi, la journaliste s'installa sur le canapé, à côté de Philip.

Jenny s'éloigna pour servir le café.

— Qu'est-ce qu'elle vient faire ici, habillée comme une drôlesse ? marmonna soudain sir Leonard, derrière elle.

— Chut ! Grand-père ! Elle pourrait t'entendre. Elle est tout simplement sublime. A la mode, quoi !

— C'est toi qui l'as invitée ?

— Non, mais...

— C'est bien ce que je disais, c'est une drôlesse. De mon temps on appelait ainsi une femme qui se jetait à la tête d'un homme.

— Elle n'est pas venue ici pour Philip. Elle a eu la gentillesse de me rapporter un carnet que j'avais oublié au cottage cet après-midi. Le Dr Whickham a un urgent besoin de ces notes dactylographiées pour demain.

— Comment se fait-il que tu l'aies oublié là-bas ?

— Je n'en sais rien... J'étais pourtant certaine de l'avoir rangé dans mon sac, mais elle m'a assurée que je l'ai oublié sur un coin de table.

Le vieil homme l'enveloppa d'un long regard, le bleu de ses yeux brillant de tendresse.

— Ma petite Jenny, dit-il de sa voix bourrue, tu es une délicieuse enfant. Quand il s'agit de tenir cette maison, de travailler au dehors et de veiller sur nous tous, tu n'as pas ton pareil. Mais ne me crois pas aveugle...

Elle rougit de plaisir. C'était la première fois que son arrière-grand-père lui parlait aussi ouvertement et manifestait une telle lucidité. Ainsi, il la savait leur ange gardien, le rouage essentiel de Carrister Hall...

— Mais, ajouta-t-il, quand il s'agit de ces choses pour lesquelles les femmes sont en général terriblement perspicaces, tu es l'enfant la plus naïve que je connaisse...

— En quoi les femmes sont-elles en général « terriblement » perspicaces ? répliqua-t-elle, vexée.

— En ce qui concerne les autres, leurs rivales, ma chère petite. Les femmes, leur air de ne pas y toucher, leurs méthodes serpentines pour séduire un homme sans qu'il s'en aperçoive, leur dissimulation...

Sur ces mots, il saisit sa tasse de café et alla rejoindre les autres.

Soudain, la lumière se fit dans l'esprit de la jeune fille ! Mais bien sûr ! Elle avait réellement rangé le carnet bleu dans son sac. Or, Olympia avait alors habilement détourné son attention pour s'emparer du carnet. N'était-ce pas elle qui lui avait tendu le sac fermé, juste au moment de partir ? Elle détenait ainsi le meilleur des prétextes pour s'introduire à Carrister Hall ! Jenny jeta un regard hargneux à l'élégante robe noire et au maquillage très étudié. Etait-ce bien pour son père — universitaire sans malice ni goûts mondains — qu'elle s'était faite si belle ?

S'avançant vers le groupe, elle tendit une tasse de café à la fille du Dr Whickham.

— Tenez, Ollie, fit-elle d'un ton suave. Je crois que vous l'aimez noir...

Pas le moindre tressaillement dans l'expression de la jeune femme ne trahit son déplaisir au rappel de son surnom. Philip se leva pour prendre sa tasse.

— Merci, Jenny... Olympia me disait justement que vous auriez un travail fou demain. J'en profiterai pour aller à Mettenham consulter les registres de paroisse. Olympia, qui a des amis là-bas, veut bien m'y conduire.

Il ajouta avec son plus chaleureux sourire :

— Vous n'auriez pas dû me laisser vous voler votre temps ! J'ignorais que vous négligiez votre travail pour me servir de guide.

— Pas du tout ! Jusqu'à ce que le père d'Ollie change d'avis, j'étais parfaitement à jour.

— J'ai dit à père que vous le feriez volontiers. Il s'inquiétait tellement ! Nous en avons discuté juste avant qu'il se retire dans sa chambre.

Bien joué ! Le Dr Whickham étant couché, je ne peux pas lui demander s'il a vraiment besoin de ses notes si rapidement, se dit Jenny. D'ailleurs, à quoi me servirait d'être libre demain. La voiture de sport d'Olympia n'a que deux places. Je ne vais tout de même pas les suivre à la trace, alors que je ne suis pas invitée ! Cette peste pense vraiment au moindre détail ! Grand-père a raison : je manque de flair et d'astuce ! De son temps j'aurais su me méfier et déjouer les pièges d'Olympia.

— Il se fait tard, remarqua la fatale beauté en se levant. Je passerai vous chercher à neuf heures demain, Philip. Oh ! cela vous dérangerait-il beaucoup de me raccompagner jusqu'à ma voiture ?

Avec mes hauts talons, j'ai un peu peur de toutes ces marches, dans l'obscurité...

Avant même que le jeune homme pût répondre, sir Leonard était debout.

— Permettez-moi de revendiquer ce privilège, déclara-t-il.

Sans rien laisser paraître de sa déception, la jeune femme prit son bras de bonne grâce. Mais la famille Carrister ne s'en tirerait pas comme cela! Se tournant vers Jenny, elle lança avec un délicieux sourire :

— Bonne nuit... Guenièvre !

Le lendemain soir, le dîner fut plutôt lugubre. Ni Jenny ni sir Leonard, seuls à table, n'avaient faim.

— Quand je pense qu'elle a eu l'audace de lui révéler mon nom, ici même ! fulminait la jeune fille. M'appeler Guenièvre ! Et Philip qui riait ! Je le comprends, mais je ne sais pas ce que je leur aurais fait à tous les deux !

— Oui, j'ai toujours pensé que la personne qui a eu l'idée de conseiller à ta mère de lire et relire l'histoire des chevaliers de la Table ronde avait une lourde responsabilité à ton égard... Te prénommer comme la femme du roi Arthur ! Au fait, as-tu reçu des nouvelles ?

— Non, répondit Jenny, le visage rembruni.

— Sais-tu où est ta mère ou ce qu'elle fait à présent ?

— Non. Aussi longtemps qu'elle ne cherchera pas à me voir, je me moque de ce qu'elle peut faire.

— Jenny, tu devras un jour lui pardonner...

— Non. Pas question.

Devant la dureté implacable des traits habituellement si souriants de la jeune fille, sir Leonard abandonna la partie.

— Dis-moi un peu ce que tu as fait aujourd'hui.

— J'ai travaillé comme une forcenée pour taper les notes du Dr Whickham. Tout cela pour m'entendre dire, quand je lui ai apporté le travail, qu'il y avait un malentendu. Il ne m'avait pas demandé de venir aujourd'hui...

— C'était cousu de fil blanc, voyons ! La drôlesse était bien décidée à le garder pour elle toute seule. Tu vas finir par le perdre, si tu n'y prends pas garde.

— Grand-père ! Ne parle pas ainsi ! Il ne m'appartient pas. Comme pourrais-je le perdre ?

— Mais tu aimerais qu'il ne te quitte jamais, n'est-ce pas ? Tu crois donc qu'à mon âge je suis incapable de deviner qu'une jeune fille est amoureuse ? J'en ai tellement vu !

— Je suis sûre qu'elles étaient toutes folles de toi ! plaisanta Jenny.

— Evidemment ! Mais cela ne les a jamais menées très loin. Ton arrière-grand-mère s'en débarrassait sans histoire. Quand je vois avec quelle ahurissante maladresse tu mènes ta barque, je me demande si vous êtes vraiment de la même trempe ! Voilà bien les filles modernes. Cela connaît tout de la mécanique et rien des hommes.

— Olympia semble bien les connaître, elle...

— Oui, mais ce n'est pas une jeune fille moderne ! C'est une drôlesse à l'ancienne mode ! Tu ne vas pas la laisser parvenir à ses fins ?

— J'ai l'impression que c'est ce qui est en train de se produire... J'ai longtemps attendu Philip pour aller au cottage. Et il a téléphoné qu'il ne rentrerait pas ce soir. Olympia s'est montrée si serviable, figure-toi, qu'il l'a invitée à dîner pour la remercier !

— Non ?

— Si ! Mais à quoi bon fantasmer là-dessus. Que je l'aime ou non n'a pas grande importance. Je ne peux pas l'ép... Je veux dire qu'il va bientôt rentrer aux Etats-Unis et que ma maison, mon avenir, sont ici.

— Je ne suis pas éternel, ma chère enfant.

— Tant que cela dépendra de moi, si ! répliqua-t-elle, l'air buté.

— Mon Dieu ! Comme tu ressembles à mon père en ce moment !

— A sir Henry ? Sans vouloir te blesser, je n'y tiens pas du tout. Après ce qu'il a fait à ton frère George ! Je suis vexée.

— Tu n'as pas le choix. C'est l'orgueil des Carrister qui nous poursuit d'âge en âge, une génération après l'autre. Nous sommes implacables et entêtés. Nous savons aimer, mais pas pardonner. Jamais un Carrister n'a encore su admettre une défaite, un outrage, accorder ou demander indulgence... Nous causons parfois beaucoup de mal à notre entourage, à ceux qui nous aiment.

— Comme c'est étrange, murmura Jenny. Philip pensait exactement la même chose.

— Ah ! oui ! Et que disait-il ? demanda le vieil homme d'un ton sec.

— Nous étions dans la galerie des tableaux et je lui montrais celui que ton père a fait modifier pour effacer George. L'Américain a murmuré, comme pour lui-même, que des gens comme ton père saccageaient parfois la vie d'autrui avec leur morgue, leur stupide vanité...

— Il est vrai que, chez mon père, cette dureté était permanente. Chez nous autres, elle remonte à la surface de temps en temps seulement. Mais nous nous éloignons de notre sujet. Est-ce à cause de moi que tu ne peux pas l'épouser ?

— Tu penses vraiment que j'aurais le cœur de partir en Amérique en te laissant ?

— Ce ne serait pas nécessaire. Je pourrais venir avec toi... si tu veux bien de moi.

— Grand-père ! Bien sûr que je te veux près de moi ! Mais tu accepterais de quitter cette maison ?

— Ma chère enfant, si je ne t'ai pas appris que l'amour est bien plus important que des briques et du mortier et que les vivants sont plus importants que les morts, c'est que j'ai vraiment raté ton éducation ! Mais laissons ça pour le moment. Nous n'en sommes pas encore là !

— En effet, soupira-t-elle. Quelle ironie d'envisager un mariage avec Philip alors même qu'il succombe au charme d'Olympia...

A son grand soulagement, sir Leonard manifesta le désir de se retirer de bonne heure. Elle avait besoin d'être seule pour réfléchir. C'est vrai, elle aimait Philip. Il avait fallu que le cher vieil homme lui ouvrît les yeux sur ses propres sentiments. Comment aurait-elle su ce qu'était l'amour? Jamais encore un homme n'avait pris une telle place dans sa vie, dans son esprit, dans son cœur, au point de souhaiter ardemment sa présence jour et nuit, chaque minute de son existence. Avec Philip, elle découvrait les morsures de la jalousie, le cœur qui bat plus vite, le sommeil long à venir, le temps si court auprès de l'aimé, interminable loin de lui... Tout était si nouveau pour elle, si bouleversant !

Elle attendit, guettant chaque bruit, jusqu'à une heure du matin, imaginant Philip et Olympia dans une petite auberge de campagne, en tête à tête, seuls à cette heure tardive. L'Américain avait sans nul doute oublié leur baiser échangé la veille, près de la rivière. Jenny, elle, ne pouvait l'effacer de sa mémoire. Elle décida enfin de se coucher et sombra aussitôt dans un profond sommeil, pour s'éveiller un peu plus tard alors qu'il faisait encore sombre dans la maison silencieuse. Son réveil marquait cinq heures. Elle ne pourrait plus se rendormir, à présent. Soudain, une envie irrésistible de se promener dans les bois s'empara d'elle. Elle se leva, enfila son plus vieux jean et son chandail informe, poché aux coudes, qu'elle n'avait plus portés depuis l'arrivée de Philip à Carrister Hall.

Toute petite déjà, elle se levait en cachette pour assister à la naissance du soleil, immobile et silencieuse, profondément apaisée, tandis que la forêt s'éveillait autour d'elle. Elle n'avait jamais confié ce secret à quiconque, ayant trop besoin de puiser dans ces quelques instants volés aux siens de nouvelles forces pour mener à bien sa tâche.

Ses bottes se trouvant dans un placard de l'entrée, elle descendit l'escalier en chaussettes. C'est alors qu'un bruit provenant de la bibliothèque l'alerta. Nulle lumière pourtant ne filtrait de la pièce. Grand-père ou Philip auraient certainement allumé la lampe. Ce ne pouvait être que des cambrioleurs.

Sans bruit, elle se glissa dans la salle à manger où elle savait trouver près de la cheminée un lourd tisonnier. Elle s'en empara sans la moindre frayeur. Une seule chose comptait pour elle : défendre, une fois de plus, sa maison contre un ennemi. Armée de la tige de métal, elle poussa lentement la porte de la bibliothèque dont une fenêtre était ouverte, laissant passer un faible rai de lumière. Le reste de la pièce était plongé dans l'obscurité. Un léger craquement du côté du grand fauteuil de cuir... Retenant sa respiration, s'efforçant de ne pas traverser le sillon lumineux et de ne faire aucun bruit, elle avança dans cette direction. Mais soudain, avisée par un sixième sens, elle perçut une présence toute proche et leva son arme, prête à l'abattre. Des doigts d'acier lui enserrèrent le poignet, immobilisant son bras. De l'autre main, l'inconnu la prit par la taille et elle se retrouva blottie contre une puissante poitrine, tandis qu'une voix familière soufflait à son oreille :

— Petite folle ! Comment peut-on agir aussi stupidement ?

— Oh ! Philip ! C'était vous ! Mais que... ?

Il ne la laissa pas achever. Sa bouche avait pris possession de la sienne. Jenny lâcha le tisonnier qui heurta le sol avec un bruit sourd. Philip la pressait à présent contre lui avec une sorte de colère désespérée, farouche. Il n'y avait aucune tendresse dans son baiser, mais plutôt un arrogant, un brutal désir de la soumettre, de l'écraser.

— Pourquoi... pourquoi avez-vous fait cela ? balbutia-t-elle lorsqu'il la libéra.

— Parce que autrement j'aurais eu trop envie de

vous administrer une bonne correction. Si j'ai bien compris, vous me preniez pour un cambrioleur et vous aviez l'intention de m'assommer avec ce tisonnier ! Mais, espèce de tête sans cervelle, saviez-vous que j'étais dans les commandos au Viêt-nam ? Là-bas on nous a appris à attaquer dans l'obscurité. L'adversaire ne se relevait pas de sitôt, croyez-moi ! Dire que j'ai failli... Mon Dieu !... heureusement que j'ai reconnu votre cri de surprise à la dernière seconde. Je vous croyais, vous aussi, un cambrioleur !

— Comment pouvais-je deviner que vous étiez là ? J'ai cru entendre quelqu'un entrer par la fenêtre...

— Et vous prenant pour Jeanne d'Arc, vous avez couru sus à l'ennemi pour le chasser à vous seule ! s'emporta-t-il.

— Qu'auriez-vous fait à ma place ? demanda-t-elle d'une voix lasse et découragée. Appeler grand-père qui a quatre-vingt-sept ans ? Ou Betterton qui en a soixante-quinze ? Ou encore sa femme qui en a soixante-deux ? Et leur raconter que j'ai entendu de drôles de bruits ? Il n'y a que moi ici pour les protéger.

— C'est vrai, dit-il, soudain radouci. Je l'avais oublié...

— Et puis d'abord, que faisiez-vous ici, seul dans l'obscurité ?

— Si vous tenez à le savoir, je venais de grimper par la fenêtre, car Betterton a fermé la porte et je n'ai pas de clé.

— Il a sans doute cru que vous étiez déjà rentré.

— Ce qui aurait été le cas, si nous ne nous étions pas disputés, Olympia et moi...

— Jusqu'à cinq heures du matin ?

— Non ! J'ai marché jusqu'à cette heure-là !

Il se laissa tomber dans le grand fauteuil de cuir. Jenny le suivit et alluma une lampe de bureau. Philip avait enlevé une de ses chaussures et se massait le pied. C'était ce bruit, celui d'une chaussure heurtant le sol, qu'elle avait entendu dans le noir.

— Vous avez très mal ?

— Essayez donc de marcher cinq heures d'affilée !

— Vous étiez dans les commandos en Indochine, il me semble ? Mais au fait, à quel endroit avez-vous quitté la voiture ?

— Je n'en sais rien ! Il faisait nuit, j'étais sur une route de campagne, sans la moindre lumière. Mais, à propos, je n'ai pas sauté sur la chaussée de mon plein gré. Elle m'a fichu dehors et elle est repartie en trombe.

— Mais que lui aviez-vous donc fait ?

Il la dévisagea longuement avant de répondre :

— Parce que, bien sûr, il est évident pour vous que je suis responsable de mes malheurs ? Ce n'est pas ce que j'ai fait, mais plutôt ce que je n'avais pas l'intention de faire, qui est cause de tout. Olympia est une jeune femme très moderne. Beaucoup trop pour mon goût ! Je me suis retrouvé dans la délicate obligation de lui dire : « Non merci, je préfère faire mes conquêtes moi-même... »

— Vous voulez dire que... qu'elle vous a vraiment proposé... Oh ! Elle vous a fait le coup de la panne et mis le marché en main !

— C'est cela ! Imaginez mon embarras ! D'ailleurs, j'y pense encore avec des frissons rétrospectifs... Alors parlons d'autre chose !

La jeune fille ne prêta pas attention à la soudaine agressivité de son ton. Son instinct lui disait que n'importe quel homme blessé dans sa dignité réagirait ainsi.

— Philip, demanda-t-elle gentiment, que diriez-vous d'une bonne tasse de thé ?

— Rien ne me ferait plus plaisir en ce moment. Vous êtes un trésor, Jenny.

A peine franchissait-elle le seuil de la cuisine qu'elle donna libre cours à son hilarité. Ce n'était pas de Philip qu'elle se moquait ainsi, mais de ses propres craintes. Ainsi, la belle Olympia en avait été pour ses frais ! Mais si une aussi ravissante jeune femme le laissait indifférent, y était-elle pour quelque chose, elle, Jenny ? A cette idée, son cœur bondit de joie, mais se calma aussitôt lorsqu'elle réalisa la cocasserie de sa tenue : vieilleries délavées d'apprenti mécano et chaussettes de laine !

Quand elle revint dans la bibliothèque, avec son plateau, Philip avait remis ses chaussures et semblait rasséréné.

— Jenny, déclara-t-il gravement, je vous serais reconnaissant de ne pas parler de tout cela à sir Leonard. Je me sentirais encore plus ridicule. Quoique... un homme de sa génération penserait sans doute que j'ai eu bien tort de ne pas en profiter. Par ailleurs, ce ne serait pas très flatteur pour Olympia. Je ne la porte certes pas dans mon cœur en ce moment, mais ce n'est pas une raison pour crier sur tous les toits qu'elle ne... m'inspirait pas.

— Je serai muette, c'est promis. Ne sachant pas à quelle heure vous êtes rentré, il ne posera pas de questions.

L'Américain sembla seulement s'apercevoir de sa tenue.

— Puis-je vous demander où vous étiez jusqu'à cette heure ? J'ai l'impression que vous rentrez à peine au bercail, vous aussi.

— Non, j'allais sortir. J'aime voir le soleil se lever entre les arbres. La nature est si belle sous cette lumière...

— Ce doit être enchanteur, en effet. Allons-y !

— Mais... vos pieds tendres de baroudeur ?

— Après une telle marche, ce n'est pas une petite promenade dans le bois qui aggravera le mal. Vous ne pensez tout de même pas que je vais laisser passer une aussi belle occasion de contempler, seul avec vous, le lever du soleil ?

Il la prit par les épaules et l'entraîna dans la

douce lumière de l'aube. Sur le chemin qui menait à la forêt, il ne put s'empêcher de remarquer :

— Je ne connais pas grand-chose à l'agriculture, mais je n'ai pas l'impression que cette terre soit idéale pour y fonder une coopérative agricole.

— Elle ne convient même pas du tout ! Le conseil aurait pu en acheter une bien meilleure à quelques kilomètres d'ici, la terre d'un certain Baker. L'affaire était presque conclue quand Esterby a lancé l'idée que notre domaine offrirait des avantages plus rentables encore... Il faut dire qu'il a une dent contre grand-père.

— Pourquoi ?

— Grand-père a été le seul témoin d'un accident de la route causé par cet Esterby de malheur. Il a renversé une petite fille qui, Dieu merci ! n'a été que blessée. Mais c'est un chauffard notoire. La version de grand-père a été retenue sans peine par le tribunal. Esterby s'est vu retirer son permis pendant un an, ce qui l'a obligé à prendre un chauffeur et lui a coûté fort cher. Depuis, il s'acharne sur nous.

— Comment un tel individu a-t-il sa place au conseil municipal ?

— Son élection a eu lieu avant l'accident...

— Et à quel parti appartient-il ?

— Il se dit indépendant. Ce qui ne le compromet pas et lui donne toute licence pour défendre ses propres intérêts. C'est à cause de lui que ce pauvre Baker ne peut toujours pas vendre sa propriété alors qu'il est au bord de la ruine ; tout cela parce qu'il doit attendre la décision du conseil... Comme nous-mêmes qui vivons avec cette menace permanente au-dessus de nos têtes.

Ils arrivèrent bientôt dans une prairie humide de rosée où fleurissaient les premiers boutons-d'or. Par une sorte d'accord tacite, ils se turent, écoutant le chuchotis de la rivière, au loin. La prairie butait sur un chemin bordé d'aubépine qui, une centaine de mètres plus loin, ne formait plus qu'un tracé à peine discernable parmi les herbes folles. Enfin, ils atteignirent le bois.

Toujours silencieuse, Jenny se dirigea vers la berge, là où les arbres s'éclaircissaient. Agenouillée dans l'herbe humide, elle montra le ciel du doigt. Philip comprit alors ce qu'elle venait chercher si souvent ici. Sur le gris très tendre du ciel quelques traînées roses apparurent et, soudain, le bois s'éveilla. Les premiers rayons du soleil endiamantaient les moindres toiles d'araignée, à travers le vert timide des premières feuilles. Emerveillée, la jeune fille retint son souffle, sans se douter que la même lumière illuminait ses yeux d'eau pâle et caressait la douceur de son visage. Lentement, elle se tourna vers son compagnon qui la contemplait, immobile, comme envoûté. Leurs regards se rencontrèrent.

— Jenny... murmura-t-il en lui effleurant la joue... ma petite Jenny.

Eperdue de bonheur, elle se retrouva soudain dans ses bras, les lèvres offertes à son baiser. Pourtant, il ne l'embrassa pas. Les mains enfouies dans ses boucles, il lui rejeta doucement la tête en arrière et scruta longuement son visage, son regard sombre émerveillé, les traits soudain durcis par une expression qu'elle ne put déchiffrer. Alors seulement, il se pencha vers elle et s'empara de sa bouche avec fièvre.

— Pourquoi me regardiez-vous ainsi ? demanda-t-elle quand elle put reprendre son souffle. Que cherchiez-vous donc ?

— Qu'importe, murmura-t-il, avec un sourire énigmatique. Je l'ai trouvé. C'est la seule chose qui compte...

Elle lui jeta les bras autour du cou et attira son visage contre le sien pour l'embrasser avec toute la fougue de son inexpérience et la spontanéité de son amour tout neuf. C'était maintenant, elle en était sûre, qu'il allait lui confier ce qu'elle brûlait d'entendre : qu'il l'aimait, qu'il voulait l'épouser. Malgré son peu de connaissances des réalités de l'amour, elle avait conscience de son envie. Les mains avides et impérieuses qui la parcouraient, l'étreignaient durement, lui communiquaient peu à peu un désir aussi puissant que le sien. Aussi ce fut avec un sentiment de brutale frustration qu'elle se vit soudain repoussée.

— Nous ferions mieux de rentrer, jeta Philip d'une voix brève, rauque. Si jamais sir Leonard s'éveille et s'aperçoit que nous avons disparu tous les deux, il imaginera le pire. Et, pour un homme de sa génération, cela se traduit par un duel à l'épée ou une sommation de mariage...

Bien sûr, malgré la passion de ses baisers, la tendresse de son attitude, Philip n'avait nullement l'intention de se laisser passer la corde au cou. Devant son attitude éloquente, détachée à présent, le cœur serré et profondément blessée, elle parvint néanmoins à cacher sa déception et à sourire.

— Oui, rentrons, dit-elle d'une voix trop enjouée. Sur le chemin du retour, je vous montrerai une famille d'adorables bébés renardeaux que j'ai découverte...

Chapitre cinq

Au petit déjeuner, Philip parla de ses recherches entreprises la veille et qui semblaient l'avoir satisfait. La maison natale de sa mère existait encore et quelques rares voisins se souvenaient encore d'elle. Il avait retrouvé au cimetière les tombes de plusieurs Rhynham. Adroitement questionné par sir Leonard, il insista sur l'aide précieuse d'Olympia le pilotant d'un endroit à l'autre, toute patience et douceur, attendant que l'enquête eût porté ses fruits.

Devant l'air renfrogné du vieillard, Jenny eut envie de lui raconter la vérité, ne serait-ce que pour qu'il ne la considérât plus comme une nigaude incapable de se battre pour l'amour d'un homme. Mais elle avait promis de se taire. Philip éviterait sans doute cette pieuvre d'Olympia à l'avenir. Ouf ! Tout danger était écarté. Insistant sur l'aide désintéressée de la jeune journaliste, le jeune homme ajouta même d'un ton badin :

— Si j'achète une voiture ici, ce sera la même que la sienne. Un vrai bolide.

— Oui, je l'ai vue hier soir, répliqua le vieil homme d'un ton lourd de désapprobation. Je n'arriverai jamais à apprécier une femme au volant d'une voiture de sport. Autrefois, une jeune personne digne de ce nom ne serait jamais montée dans un tel véhicule. Quant à le conduire elle-même, c'était hors de question !

— Les temps ont changé, monsieur, dit l'Américain avec beaucoup de douceur.

— En effet ! Et ce n'est pas un progrès ! Olympia est ce qu'on appelle, je crois, de nos jours, une femme émancipée.

— C'est le moins qu'on puisse dire, renchérit son hôte, avec une sincère conviction.

Il regarda Jenny à la dérobée et celle-ci eut le plus grand mal à garder son sérieux. La sonnerie du téléphone retentit soudain. Le maître de maison se leva pour répondre et revint quelques instants plus tard : .

— C'est pour vous, dit-il à Philip.

Puis il glissa à l'oreille de sa petite-fille.

— C'est la drôlesse...

— Ne t'inquiète pas, grand-père. Je ne la crains plus.

— Alors, c'est que tu es complètement inconsciente. Pourquoi crois-tu qu'elle l'appelle ?

Ah ! Si seulement il pouvait se douter des sentiments de Philip pour cette dernière ou si Jenny avait pu le mettre au courant ! Le jeune homme reprit sa place à table.

— Si vous allez travailler aujourd'hui, Jenny, pourriez-vous me déposer au manège ?

— Bien sûr. Départ dans une demi-heure.

Elle évita le regard courroucé du vieil homme qui, sans doute, devait croire que Philip et Olympia s'étaient donné rendez-vous pour une promenade à cheval. Elle, Jenny, avait décidé de faire confiance à celui qu'elle aimait.

Dans la voiture, ce dernier lui demanda :

— Vous savez pourquoi elle a téléphoné, je suppose...

— Pour vous faire des excuses ?

— Si l'on veut. Elle voulait surtout ma parole que je ne raconterais rien à personne. Ayant retrouvé ses esprits, elle regrette, bien entendu, mais plus pour elle que pour moi. Je lui ai appris que vous étiez au courant mais que vous n'en diriez mot à sir Leonard. Comme je n'ai pas l'intention de la revoir, l'affaire est classée.

— Est-il nécessaire de vous montrer si chevaleresque ? Après ce qu'elle vous a fait ?

— Sur le moment, j'étais fou de rage bien sûr. Mais, réflexion faite, cette balade au clair de lune m'a fait le plus grand bien. Et j'ai tendance à ne plus considérer que le côté comique de l'histoire... Ce qui me désole, voyez-vous, c'est que la seule personne qui pourrait vraiment me comprendre est sir Leonard. De son temps, il y a des choses qui ne se faisaient pas. Ne pas exposer une femme à la médisance ou à la raillerie publique fait partie de certaines règles de savoir-vivre.

— C'est vrai. Mais comment savez-vous ce qui se faisait ou pas du temps de grand-père ?

— Oh !... Disons que j'ai beaucoup lu... On a écrit un tas de livres sur cet Anglais typique de l'ère victorienne...

— Il est certainement un des derniers prototypes de son époque ! C'est drôle, par moments, vous semblez le comprendre mieux encore que moi. C'est vrai, il vous approuverait de n'avoir rien dit. On croirait que vous connaissez exactement le mécanisme de son cerveau. Sans doute parce que votre mère est anglaise. Et vous devez compter pas mal d'ancêtres anglais.

— C'est possible... coupa-t-il, visiblement désireux de changer de sujet.

— Dois-je passer vous chercher, à mon retour ?

— Non, merci, Jenny. Je rentrerai par mes propres moyens. A tout à l'heure.

Ils étaient arrivés au manège. Il se pencha vers elle, lui donna un rapide baiser et disparut. Comme elle aurait aimé courir après lui, sauter sur un cheval et galoper ainsi à ses côtés jusqu'au bout du monde. Hélas ! son travail ingrat l'attendait. Et d'ailleurs, elle n'était même pas sûre que Philip voulût d'elle ! Et·s'il allait rejoindre Olympia en secret ? Non ! Elle s'interdit aussitôt ce soupçon. Elle devait croire en lui, lui faire confiance.

La voiture de la journaliste ne se trouvait pas devant le cottage de son père quand Jenny y arriva. Le professeur l'accueillit avec sa bonhomie coutumière et entreprit de lui expliquer la teneur des nouveaux feuillets qu'il lui confiait. Mais celle-ci, les yeux dans le vague, semblait absente.

— Jenny ! Vous n'avez pas écouté un seul mot de ce que je vous ai dit ! gronda gentiment le Dr Whickham.

— Mais si... je suis désolée...

— Vous n'êtes pas malade au moins ?

— Je me porte comme un charme !

— J'étais en train de vous dire ce que j'attends de vous durant mon séjour à l'étranger...

La jeune fille, le cœur et la mémoire occupés par Philip, s'étonna :

— Oh ! Vous partez en voyage ?

— Jenny ! Enfin, cela fait presque une demi-heure que je vous parle de mon départ pour l'Amérique ! Je veux y retrouver la trace des premiers colons ! C'est au Massachusetts et non pas dans ce coin perdu que mes recherches auront le plus de chances d'aboutir. Mais j'aimerais qu'en mon absence, vous veniez au cottage deux fois par semaine, pour vous occuper de mon courrier et me téléphoner s'il intervient quelque chose d'important ou d'urgent. Je vous enverrai de nouvelles notes de là-bas qu'il vous faudra mettre au propre...

Elle essayait sincèrement de s'intéresser à ce qu'il lui disait et croyait avoir réussi à lui donner le change quand il déclara d'un air indulgent :

— Ma chère enfant, rentrez donc au château. Vous reviendrez quand vous aurez toute votre tête à vous. Pas avant !

Etre enfin seule et mettre un peu d'ordre dans ses idées ! Arrivée à Carrister Hall, elle monta l'escalier sur la pointe des pieds et passa, le cœur battant, devant la porte de la chambre de sir Leonard. Pourvu qu'il ne lui prenne pas l'envie de sortir précisément à ce moment-là... Soudain, l'écho d'une discussion la cloua sur place. Il n'y avait pas à s'y tromper, l'interlocuteur de son grand-père n'était autre que Philip. Elle reconnaîtrait sa voix entre mille. Son timbre mâle et grave la troubla profondément.

— Je voudrais être vraiment sûr que nous nous sommes bien compris, déclarait le vieil homme d'un ton presque agressif.

— Je ne vois pas de raison d'en douter, monsieur, répondit Philip avec son calme habituel. Nous avons été honnêtes tous les deux. Et ce n'était facile ni pour vous ni pour moi ! Je crois même que ce fut encore plus désagréable pour vous...

— Pour moi ? Ne vous occupez donc pas de moi ! Je savais que cela devait arriver un jour. Je m'y suis préparé depuis longtemps. Ce que je veux savoir, c'est ce que vous comptez faire, maintenant.

— Je parlerai à Jenny ce soir même. C'est bien ce que nous avons décidé, n'est-ce pas ?

— Oui. Le plus tôt sera le mieux. Il ne faut pas laisser s'éterniser ces affaires-là.

— On ne peut parler d'affaire qui s'éternise, quand on demande en mariage une jeune fille qu'on ne connaît que depuis une semaine...

Sans écouter un mot de plus, Jenny se précipita dans sa chambre, se laissa tomber sur le lit, envoyant tous les coussins en l'air, riant et pleurant à la fois. De joie. Bonheur inouï ! Philip veut m'épouser ! se répétait-elle, incrédule. Il va me demander en mariage ce soir ! Quelle délicatesse de sa part d'en avoir informé grand-père d'abord, comme on le faisait autrefois...

Elle laissa la porte de sa chambre entrouverte, dans l'espoir de surprendre l'homme de sa vie au moment où il sortirait de la chambre du vieil aristocrate, mais une heure passa, puis deux. Personne. Ils discutaient encore. Tant pis. Il était grand temps de s'habiller pour le dîner et elle se voulait resplendissante pour ce grand jour.

Descendant l'escalier, vêtue de sa longue robe de velours vert, le visage rayonnant, elle était vraiment éblouissante. Mais, à sa grande déception, cette fois Philip ne l'attendait pas au bas des marches. Il se trouvait dans la bibliothèque auprès de son bisaïeul.

Sir Leonard s'avança aussitôt vers elle, les traits soucieux, tendus. On l'eût dit vieilli, accablé par une douloureuse épreuve, alors même qu'il s'efforçait de faire bonne figure.

Le cœur de Jenny se serra. Elle devinait ce qu'éprouvait cet homme qui l'aimait tant. Gentiment, elle lui saisit le bras, mais il se dégagea et l'embrassa. Blottie contre lui, elle se sentait redevenir petite fille, si petite...

— Ma chérie, Philip a quelque chose à te dire, murmura-t-il avant de la repousser brusquement et de s'éclipser.

Il ne laissait même pas à Philip le choix du moment ! Restés seuls, tous deux éprouvaient le même embarras. Si elle n'avait su ce qui l'attendait, elle aurait pensé que le jeune homme lui en voulait. Il fronçait en effet les sourcils d'un air furieux.

— Qu'a donc voulu dire grand-père ? demanda-t-elle pour rompre le silence.

— Vous ne devinez pas ? répondit-il avec un bref sourire. Il n'y a qu'une seule chose que l'on puisse présenter à une jeune fille de manière aussi solennelle. C'est une demande en mariage !

— Je ne savais pas que ces usages avaient encore cours à notre époque... Et que vous puissiez vous y conformer !

— Ici, oui ! Dans votre monde... dans cette demeure... rien ne change. On est parfois obligé de se plier au cérémonial propre à ceux qu'on sollicite.

— Ainsi, comme ça, vous êtes d'abord allé voir grand-père pour lui demander son autorisation ? Et vos gants beurre frais ? plaisanta-t-elle sans conviction.

— Il m'en a fait grâce. Mais j'ai dû lui assurer que votre jeunesse et votre inexpérience ne vous entraînaient pas à unir une famille aussi ancienne et honorable que la vôtre à un élément indésirable...

Il s'approcha d'elle.

— Et... vous l'avez convaincu ? demanda-t-elle d'une toute petite voix.

— Oh ! oui ! Il est tout à fait favorable à notre mariage. Mais j'ai l'impression que depuis que je vous ai posé la question, vous tentez d'éluder la réponse ?

— Non... non, ce n'est pas cela...

Une lueur ironique dansait dans le regard sombre de Philip.

— Vous n'avez pas envie d'un Philip Thornhill pour mari ! Il est tout juste bon à flirter dans les bois ! Vous souhaiteriez pour époux quelqu'un de moins... roturier, peut-être ? Un vrai gentleman anglais par exemple, possédant titre et particule remontant à plusieurs siècles ? Désolé, Jenny, je n'ai rien de semblable à vous offrir. Si vous m'acceptez, vous le ferez pour moi-même. Pas pour mes ancêtres !

— Mais, Philip, vous êtes tout ce que je désire. Je vous aime !

— Vous m'aimez ? répéta-t-il en fouillant son regard. Vous m'aimez, Jenny ?

— Comment dois-je vous le dire ? Je vous aime, je vous aime, je vous aime.

— Alors, vous consentez à m'épouser ?

— Oh ! oui ! Cent fois oui !

Il l'embrassa avec une tendresse un peu guindée. A vrai dire, la présence toute proche de sir Leonard pouvant à tout moment surgir dans la bibliothèque eût paralysé moins timides qu'eux ! Ils s'entre-regardèrent avec intensité.

— J'ai dit à Betterton de nous servir du champagne ! lança le vieillard en entrant dans la pièce avec une précision d'horloge.

— Mais, grand-père... et si j'avais refusé ?

— Mon enfant, ne dis pas de bêtises ! C'était hors de question !

Elle retint les larmes qui lui noyaient les yeux : le vieil homme était en train de la perdre mais précipitait néanmoins les choses, les officialisait en quelque sorte, afin que Philip et elle fussent assez engagés pour n'être pas tentés de renoncer à cause de lui. Elle lui avait toujours connu cette générosité bourrue.

La soirée s'acheva de bonne heure, sir Leonard s'étant retiré très tôt dans sa chambre, non sans avoir d'abord donné une chaleureuse poignée de main à son futur « gendre », embrassé Jenny et — à leur grande stupéfaction — cligné de l'œil aux fiancés.

— Quelle belle nuit ! murmura Philip, dès qu'ils furent seuls. Que diriez-vous d'une promenade ?

— Je vais chercher un châle.

Un peu plus tard, ils descendaient les marches et foulaient l'herbe de la pelouse. Philip la tenait par les épaules. Elle aimait la chaleur et le poids de son bras posé ainsi sur elle.

— Je ne vous retiendrai pas longtemps, expliqua-t-il. Mais je ne peux vous parler dans la maison, en sachant que le vieux bonhomme rôde autour de nous afin que nous respections les convenances.

Elle éclata de rire, détendue, redevenue heureuse. Elle retrouvait enfin l'homme qu'elle aimait !

— Philip, pourquoi m'avez-vous dit toutes ces choses horribles tout à l'heure ?

— Je pensais que vous alliez me repousser, parce que je n'étais pas de votre caste, de sang bleu. Je croyais que ce qui comptait le plus pour vous était d'être une Carrister, de Carrister Hall.

— Vous vous trompez, Philip, répondit-elle d'un

drôle d'air. Mes origines sont moins... reluisantes que vous pourriez le croire. Je suis une Carrister par mon père, mais je ne vous ai jamais parlé de la famille de ma mère... Une fois que vous saurez, peut-être est-ce vous qui ne voudrez plus de moi...

— Cela m'étonnerait, dit-il doucement. Mais parlez-m'en quand même. Je veux tout savoir de vous.

— Eh bien, voilà ! Grand-père était autrefois magistrat et siégeait en correctionnelle. C'est ainsi qu'il a connu ma grand-mère maternelle, une voleuse à la tire qui avait passé de longues périodes en prison pour des petits délits. Sa fille — ma mère — a donc dû être confiée à un orphelinat. Par la suite, elle-même s'est mise à voler.

— Ce qui l'a amenée devant un magistrat... Sir Leonard, je présume.

— Tout juste. L'orphelinat refusant de la garder, il a dû la placer en maison de redressement. Elle en est sortie à seize ans. Quelques semaines plus tard, par hasard, elle rencontrait mon père et en fut enceinte aussitôt.

— Seigneur ! Il l'aimait ?

— Non. Quand il l'a appris, il a été saisi de panique et n'a plus voulu entendre parler d'elle. Ma mère allait se résoudre à se débarrasser de l'enfant — moi — quand grand-père a découvert ce qui se tramait et forcé mon père à un mariage qui l'épouvantait.

— J'ai rarement entendu une chose aussi incroyable. La plupart des hommes occupant la position de sir Leonard se seraient plutôt empressés de se débarrasser de la fille en lui offrant de l'argent.

— C'est vrai. Mais grand-père estimait qu'il était de son devoir d'agir ainsi. Se comporter en gentleman passe pour lui au-dessus même de l'orgueil d'une famille. S'il n'était pas intervenu, je ne serais pas de ce monde...

— Je commence à comprendre pourquoi vous lui

sacrifiez votre jeunesse. En quelque sorte, vous estimez, comme les Chinois d'autrefois, que votre vie lui appartient puisqu'il vous l'a sauvée.

— C'est un peu ça. Je n'ai pas à me plaindre de mon existence ici. Car, voyez-vous, grand-père n'a pas fait que cela pour moi. Mon père est mort alors que j'avais huit ans. Ma mère n'en a pas été très affectée. Ils ne s'entendaient pas et elle... « connaissait » déjà quelqu'un d'autre. Elle a épousé cet homme peu de temps après...

La jeune fille se tut, la gorge nouée.

— N'en parlez pas, si vous n'y tenez pas, murmura-t-il en la serrant plus fort contre lui.

— Non... vous devez savoir. Mon beau-père ne voulait pas de moi. Il avait déjà deux enfants d'un premier mariage et m'avait prise en grippe, me harcelait sans répit. Pour lui, j'étais toujours en faute. Il est vrai que je n'avais pas un caractère facile. Je souffrais encore de la disparition de mon père.

Elle fut soudain prise d'un tremblement nerveux. Elle n'avait encore jamais confié son secret à quiconque. Philip lui caressa doucement les cheveux, rassurant, compréhensif.

— Continuez... Vous vous sentirez mieux ensuite...

— Mon beau-père a demandé à ma mère de choisir entre lui et moi... Je... je croyais qu'elle me défendrait... mais...

Elle éclata en sanglots, le visage enfoui dans l'épaule de Philip. Comment lui faire ressentir ce choc abominable, l'abandon, dont elle ne s'était jamais remise. Tout l'amour de son fiancé ne pourrait guérir cette blessure. Personne. Pas même son grand-père.

— Elle m'a crié que tout était ma faute et jetée dehors sous prétexte que j'étais une méchante fille et que celles-ci n'ont pas le droit de vivre avec leur mère !

— La garce ! s'exclama Philip, indigné.

— Je ne comprenais pas ce que j'avais fait, j'ai pleuré, supplié, pour qu'elle me garde, je croyais qu'elle ne parlait pas sérieusement. Mais, un jour, son mari m'a ordonné de mettre mon manteau et mon chapeau et m'a traînée, hurlante, sanglotante, jusqu'à la voiture. Comme j'essayais de me sauver, il m'a battue. Enfin, il a réussi à me caser dans un service social qui m'a placée dans un foyer; sous quel prétexte, mystère. Oh! J'y ai été bien traitée... Mais j'étais tellement désespérée que je me suis repliée sur moi-même, je ne parlais plus, je fuyais les gens. Ma mère n'est jamais venue me voir. Pas une seule fois.

— Combien de temps êtes-vous restée là-bas?

— Deux mois. Je ne sais comment grand-père a appris ma présence dans ce foyer. Il a accompli toutes les formalités pour que je sois définitivement confiée à sa garde. Et voilà comment je suis arrivée ici.

— Eh bien! Il tenait vraiment à vous!

— Non, Philip! Vous ne comprenez donc pas? Il ne voulait pas de moi! C'était un homme âgé, soixante-quinze ans! qui ne me connaissait pas. Il n'avait aucune envie de voir sa paisible existence troublée par une gamine de huit ans! Pour lui, j'étais quelque chose d'aussi insolite qu'un animal exotique et presque sauvage.

— Et pourtant, il l'a fait.

— Oui. Parce que son devoir, toujours lui, lui dictait que dans son monde on n'abandonne pas les enfants dans une institution. On leur donne un foyer, qu'on le veuille ou non.

— Dommage que votre mère n'ait pas été élevée selon les mêmes principes...

— Je crois que si grand-père ne m'avait pas recueillie, je serais également devenue une délinquante. Jamais je n'oublierai l'instant où il est venu me chercher. J'étais en faction derrière la fenêtre, comme chaque jour, dans l'espoir d'une visite de ma mère. Et une énorme vieille Bentley a surgi, conduite par Betterton. Il en est sorti l'homme le plus imposant que j'aie jamais vu, avec sa crinière d'un blanc lumineux. Il est entré et a simplement dit : « Je viens chercher Mlle Carrister pour la ramener à la maison. » Et je suis arrivée ici. Soudain j'avais un vrai foyer, un nom, une famille, j'existais de nouveau.

Elle s'interrompit un instant, avant de reprendre :

— Vous vous étonnez que je respecte les petites manies de grand-père, l'étiquette à laquelle il tient tant. Je m'habille pour le dîner, je quitte la salle à manger pour laisser les hommes boire leur porto entre eux, mais ce ne sont que des détails sans importance. L'essentiel repose sur du roc solide. Et j'ai pu m'appuyer sur ce roc au moment où j'en avais le plus besoin...

— Voilà pourquoi vous vous entendez si bien tous les deux ?

— Oui. C'est ce que j'avais à vous dire. Il fallait que vous le sachiez avant de m'épouser...

— Jenny ! s'écria-t-il. Vos ancêtres au passé douteux ne m'impressionnent pas plus que votre lignée de sang bleu. C'est vous que je désire. Et j'espère que vous m'avez choisi pour moi-même et non pour je ne sais quelle obscure raison...

— Comprenez, Philip, après tout cela, je ne peux pas abandonner ce vieil homme que j'aime tant, auquel je dois tout. Même la vie.

— Il viendra aux Etats-Unis avec nous. N'est-ce pas ce que vous aviez décidé ensemble ? demanda l'Américain, l'air faussement innocent.

— C'est encore une machination de mon diabolique aïeul ! Nous n'avons jamais rien décidé. Nous en parlions comme cela, dans le vague...

— Ainsi vous discutiez de vos projets si vous épousiez un Américain... compléta-t-il pour la taquiner. Vous ne pouvez savoir à quel point je suis flatté d'avoir occupé vos pensées hier...

Ils étaient sous le couvert des arbres à présent et

le feuillage masquait l'éclat bleuté de la lune. Pour Jenny, rien d'autre n'existait que le sombre brasillement de ses yeux fixés sur elle et la chaleur de ses bras qui l'étreignaient dans l'ombre.

— Je n'ai pas cessé un seul instant de penser à vous depuis notre rencontre, murmura-t-elle.

La bouche de Philip s'empara de la sienne avec la même passion désespérée que cette nuit où tous deux avaient cru surprendre des cambrioleurs. Il y avait comme de la colère dans ce baiser assoiffé qui lui fit perdre le contact avec la réalité. Son châle avait glissé et elle frémissait sous ses mains impatientes, audacieuses. Les lèvres brûlantes de l'homme exploraient la peau satinée de sa gorge, de la naissance de ses seins, trahissant son désir, éveillant le sien.

Doucement, il l'allongea contre lui, sur les fougères, l'affolant de subtiles caresses. Elle aurait voulu se fondre en lui, connaître avec lui une ivresse plus totale encore. Lui-même semblait éprouver une fièvre qui échappait à son contrôle.

— Comment mon petit garçon manqué a-t-il pu se transformer en une femme aussi ensorcelante ? murmura-t-il contre sa bouche.

— Par amour... Oh ! Philip ! Je vous aime tant... Je veux être à vous, tout de suite...

Ces mots parurent exciter encore son ardeur. Chacun des gestes de Philip, à présent, allumait en elle un feu dévorant dont elle attendait qu'il culminât en implosant, avec une joie mêlée de crainte.

Pourtant, il ne se passa rien. Son fiancé lui saisit les poignets presque brutalement et la détacha de lui. Il la contempla un moment, les yeux brillants. Puis il se leva d'un bond, avant de l'aider à se redresser avec rudesse.

— Non ! cria-t-il. Je ne veux pas que cela se passe ainsi. Sir Leonard ne me pardonnerait jamais de vous avoir traitée comme... une fille que l'on prend sur l'herbe. En passant.

— Non... répéta-t-elle d'une toute petite voix.

Mais elle ne le comprenait pas. Elle s'y refusait de toutes ses forces. Une fois de plus, elle éprouvait ce sentiment de rejet qui l'avait tant meurtrie dans le passé. Tout en elle hurlait que quelque chose n'allait pas, sans qu'elle pût s'en expliquer clairement la raison, quelque chose qui sonnait faux.

— Rentrons, Jenny, dit enfin son compagnon d'une voix ferme et froide. Rentrons tout de suite, pendant que je suis encore maître de moi.

Il lui tapota la joue avec gentillesse.

— Le jour où nous nous unirons, ma chérie, ce sera inoubliable. Je ne veux pas vous aimer ici, comme un égoïste. Pas comme ça.

Il l'enlaça tendrement et l'entraîna vers la maison en silence. Il y a un détail qui cloche, tout sonne faux, se répétait Jenny. Mais quoi donc ? Et pourquoi ?

Chapitre six

La sonnerie obsédante du téléphone au rez-de-chaussée réveilla Jenny en sursaut, vers quatre heures du matin. Elle enfila rapidement une robe de chambre et descendit en courant les marches de l'escalier.

Dès qu'elle entendit résonner dans l'appareil une voix de femme, très jeune, avec un fort accent américain, un mystérieux signal d'alarme s'ébranla tout au fond d'elle-même.

— Je voudrais parler à Philip Thornhill, demanda l'inconnue qui semblait au bord des larmes.

Philip, réveillé lui aussi par l'insistance du téléphone, venait d'ouvrir la porte de sa chambre.

— C'est pour vous, lui expliqua Jenny. Une jeune fille au même accent que vous...

— Ce doit être une de mes sœurs. Je leur avais communiqué votre numéro le jour de mon arrivée.

Elle le suivit des yeux jusqu'à l'entrée. On lui apprenait de mauvaises nouvelles, on allait l'éloigner d'elle, elle en était sûre ! Désespérément, elle le dévora du regard pour garder à jamais cette image de lui, les cheveux ébouriffés, sa veste de pyjama ouverte jusqu'à la taille, révélant la toison brune de son torse. Comme il lui semblait jeune soudain, jeune et vulnérable. Mon Dieu ! Comme j'aimerais le prendre dans mes bras en ce moment, soupira-t-elle.

Il reposa le combiné, monta l'escalier et l'enlaça, abandonnant sa tête sur son épaule, l'air bouleversé.

— Ma mère vient d'avoir un accident de voiture. Je dois rentrer chez moi le plus vite possible.

— Oh! Mon chéri! Je suis désolée. Est-ce très grave?

— Oui. Très. Je regrette de vous quitter ainsi... Jenny, mon amour, je...

— Taisez-vous. Nous avons tout le temps devant nous. Je serai encore là quand elle ira mieux.

— Merci de croire qu'elle se remettra bientôt, murmura-t-il en essayant de lui sourire. Pourriez-vous me réserver un aller pour Boston par le premier avion pendant que je prépare mes affaires?

Tandis qu'elle s'occupait de sa réservation, sir Leonard apparut à son tour. Elle lui expliqua brièvement ce qui arrivait. Avec un grognement, celui-ci remonta et elle l'entendit entrer dans la chambre de Philip et refermer la porte derrière lui. Il s'agissait à présent de savoir à quelle heure partait le train pour Londres. Dans une demi-heure, lui indiqua le chef de gare de Mettenham.

Sans hésiter, Jenny monta se changer, prit les clés de la voiture et rejoignit Philip qui l'attendait dans l'entrée en compagnie de son grand-père.

— Vous avez un avion pour Boston ce matin, mais il vous faut être à Londres le plus vite possible. Notre gare d'opérette n'est pas assez importante pour qu'il y ait des trains d'aussi bonne heure. Je vous conduis à Mettenham...

Il lui sourit avec gratitude. Pendant qu'il prenait congé du maître de Carrister Hall, Jenny entreprit de faire tousser le moteur enroué par la fraîcheur de l'aube. Quand Philip arriva, quelques instants plus tard, il la trouva à bout de nerfs.

— Elle refuse de démarrer, expliqua-t-elle. J'ai tout essayé. Je vais vous appeler un taxi.

Mais aucune des deux seules compagnies de taxis de la région ne répondit. Elle en aurait pleuré !

— Si je rate cet avion, demanda Philip, visiblement tendu, quand décolle le suivant ?

— Il n'y en a pas d'autre ! Nous sommes samedi. Tout est complet pour Boston jusqu'à demain. J'ai pu avoir cette place grâce à une annulation de dernière minute.

— Et par New York ?

Jenny appela de nouveau l'aéroport. Tous les vols pour New York étaient complets. Elle reposa l'appareil et contempla le jeune homme qui s'était assis sur les marches, la tête entre les mains, accablé. Non ! Elle ne pouvait supporter de le voir ainsi. En ce moment, seul le chagrin de Philip importait. Il fallait le tirer de là. A n'importe quel prix. Fût-il celui de sa souffrance. Sans hésiter, elle composa un autre numéro.

— Allô, c'est vous, Olympia ? dit-elle d'une voix qui ne tremblait pas. J'ai besoin de votre aide...

Quand elle reposa le combiné, un instant plus tard, Philip la regardait, le visage anxieux, n'osant l'interroger.

— Olympia sera là dans une demi-heure. Elle vous conduira directement à l'aéroport. Vous aurez votre avion.

Pourvu qu'il ne s'aperçoive pas de ma déception, se dit-elle. La voiture d'Olympia n'a que deux places. Je ne pourrai pas aller avec eux. Mais peu importe. Seule compte la peine de Philip pour l'instant.

Sir Leonard s'était discrètement retiré. Son fiancé s'approcha d'elle, la prit par les épaules et plongea son regard triste dans le sien.

— Merci, Jenny, articula-t-il d'une voix bouleversée.

Ils restèrent assis sur les marches jusqu'à l'arrivée d'Olympia, étroitement, tendrement enlacés, mais sans la moindre passion. Philip n'avait pas envie de parler et elle respectait ce désir, essayant de le rassurer et par sa seule présence de lui apporter un pauvre réconfort.

Les pneus de la voiture d'Olympia crissèrent sur le gravier et ils se précipitèrent au bas du perron. Tandis que Philip rangeait ses bagages dans le coffre, Jenny se pencha vers la conductrice qui venait de baisser la vitre de son côté.

— Merci d'être venue, dit-elle doucement. C'était tellement important pour Philip !

— Je sais, répondit Olympia en souriant. Etant donné qu'il a perdu son père très jeune, il est plus attaché à sa mère qu'un fils ne l'est d'ordinaire. S'il lui arrivait quelque chose, il encaisserait un choc terrible.

Jenny avala sa salive, s'efforçant de dissimuler sa contrariété. Elle était plutôt bien renseignée, cette vipère ! Elle s'écarta pour laisser s'installer le jeune homme.

— Téléphonez-moi quand vous serez là-bas !

— Bien sûr. Et merci pour tout, Jenny. Au revoir, monsieur !

L'imposant vieillard venait en effet d'apparaître en haut des marches. Sa petite fille l'y rejoignit et ils regardèrent ensemble la voiture disparaître au bout de l'allée.

— Je sais ! grommela Jenny. Tu vas encore me dire que j'ai été stupide...

— Non, mon enfant. Je n'ai jamais été aussi fier de toi.

Elle leva les yeux vers le ciel qui prenait une teinte d'un gris perlé strié de rose pâle. L'aube serait belle, aussi belle que le jour où Philip l'avait embrassée en l'appelant « ma petite Jenny », ce jour qui semblait si lointain déjà...

Jenny passa la semaine la plus triste de sa vie. Philip lui manquait chaque seconde un peu plus. Elle l'avait rencontré pour la première fois un lundi. Le samedi suivant, il était parti, laissant derrière lui une existence bouleversée. Le manoir, où elle se sentait si heureuse autrefois, lui paraissait à présent vide et désolé. Et si son fiancé ne devait jamais revenir ?

Ce n'est pas lui qui téléphona de l'aéroport, mais Olympia. Une intense circulation les avait ralentis et le jeune homme n'avait attrapé son avion que de justesse. C'est pourquoi la fille du professeur se chargeait du coup de fil à sa place. Jenny s'aperçut qu'aimer, c'est aussi douter : elle n'avait qu'à fermer les yeux pour les imaginer tous les deux, arrivés très en avance à l'aéroport, assis côte à côte au bar, si absorbés l'un par l'autre qu'il en avait oublié de l'appeler. Peut-être son imagination était-elle trop fertile ? En tout cas, Philip se confiait à Olympia comme jamais avec elle, Jenny. Celle-ci ne savait rien de lui, hormis quelques menus détails de sa vie outre-Atlantique. Olympia savait-elle ou non qu'ils étaient fiancés ? Qu'ils s'appartenaient, désormais ?

Enfin, Philip daigna lui téléphoner. Sa mère vivait, mais au ralenti ; son état de santé restait critique et exigeait beaucoup de soins et d'attention. La voix de l'Américain était brusque, sans la moindre trace de tendresse. Glacée d'appréhension, Jenny évita de l'importuner de reproches ou d'allusions. A présent, leur séparation, vieille d'une dizaine de jours, était plus longue que leur petite semaine de bonheur. Elle ne représentait qu'une parenthèse dans la vie de Philip. Vite oubliée, peut-être. Sa famille chercherait sans doute à le retenir là-bas le plus longtemps possible... Combien de temps, mon Dieu ? Il serait repris par le tourbillon des affaires. Et le souvenir d'une jeune fille anglaise secouant ses boucles rousses dans le soleil du petit matin s'effacerait de son esprit.

Quelques jours plus tard, revenant de chez le Dr Whickham, elle éprouva un choc en découvrant une voiture inconnue garée devant le manoir.

Philip était de retour ! Elle déchanta vite en reconnaissant, franchissant la porte, M. Trask, le notaire de la famille. Elle le salua et échangea poliment quelques mots avec lui, pressée de le quitter et d'interroger son bisaïeul sur cette visite.

— J'ai apporté quelques modifications à mon testament, expliqua sir Leonard, quand elle le rejoignit dans la bibliothèque.

Une intense émotion l'envahit aussitôt. Comme le vieil homme semblait fatigué soudain !

— Que diable as-tu besoin de me causer une peur pareille ! s'emporta-t-elle. Tu vivras plus de cent ans !

Il la foudroya du regard. Elle se précipita vers lui et s'agenouilla près de son fauteuil, émue aux larmes.

— Allons, allons, ma chérie, fit-il en lui caressant doucement les cheveux. Il va revenir, ne t'inquiète pas.

— C'est pour toi que je m'inquiète ! Je n'aime pas que tu évoques ta... disparition.

— Je n'ai jamais parlé de mourir ! J'ai modifié mon testament en vue de ton mariage. Cela n'a rien à voir avec la mort.

— Tu ne penses pas que c'est un peu prématuré ? demanda-t-elle en s'asseyant sur ses talons.

— Il n'est jamais trop tôt pour faire le nécessaire !

— Mais... suppose... suppose qu'il arrive quelque chose d'imprévu... et que le mariage n'ait pas lieu ? Il m'a peut-être oubliée...

Il la contempla, bouleversé. Comme elle ressemblait soudain à la fillette maigrichonne et désespérée recueillie douze ans plus tôt !

— Tout se passera bien. Fais confiance à ton vieux grand-père...

C'était ainsi qu'il lui parlait autrefois. Touchée à son tour, elle lui sourit.

— Excuse-moi, murmura-t-elle. Je ne sais pas ce qui m'a pris. Je ne m'emporte jamais d'habitude...

— Oh, si ! Quand tu étais petite, tu envoyais déjà les objets voler à travers la pièce et Mme Betterton a dû mettre sous clé le service de porcelaine. On ne l'a ressorti que le jour de tes quinze ans.

— Et jamais tu n'as levé la main sur moi...

— On t'avait assez battue comme cela, injustement. Les enfants malheureux ont besoin d'être aimés et non malmenés.

— Même en vivant plusieurs siècles, je ne pourrai pas te rendre le centième de tout cet amour que tu m'as donné. Je te dois tant !

— Tu ne me dois rien, fit-il d'un ton bourru. C'est moi le gagnant dans cette affaire. Ne l'oublie jamais. Je serais mort et enterré depuis longtemps si tu n'étais venue mettre un peu de vie dans cette demeure. Et la remplir de joie...

— Et d'accès de colère ! répliqua-t-elle en riant.

— Cela m'a maintenu en forme. J'ai l'air d'un gamin pour mon âge !

Elle se leva et l'embrassa. Au moment où elle quittait la pièce, il l'arrêta :

— Encore une chose, ma chère enfant !

— Oui ?

— Je ne t'ai peut-être pas corrigée dans le passé, mais il n'est pas trop tard pour commencer. Que je t'entende encore une fois t'exclamer « que diable...! », comme tout à l'heure, et tu auras de mes nouvelles. En voilà une façon de parler pour une jeune fille ! Allez, file maintenant !

Le souvenir de Philip la poursuivait partout, à Carrister Hall et chez le père d'Olympia où elle le revoyait assis à côté de la jeune femme, sur le canapé. La journaliste était retournée à Londres et le Dr Whickham préparait son séjour aux Etats-Unis. Jenny redoutait ce départ. Encore un bouleversement de son petit monde ! Mais le plus déchirant — celui qu'elle craignait depuis longtemps — se produisit inopinément.

Elle était en train de préparer du café dans la

cuisine du cottage quand l'historien vint l'y retrouver.

— Jenny, on vous demande au téléphone. C'est Betterton... Il est arrivé quelque chose à sir Leonard...

Elle se précipita à l'appareil. Betterton semblait sur le point d'éclater en sanglots.

— Mademoiselle Jenny, rentrez vite. Nous l'avons trouvé étendu par terre, dans la bibliothèque. Il est toujours inconscient et d'une drôle de couleur. Nous avons appelé le docteur.

Quand elle arriva à Carrister Hall, le médecin était déjà là. Vieil ami de la famille, le Dr Whithy la prit affectueusement par le bras.

— J'ai fait demander une ambulance, mon enfant. Mais il a eu une sérieuse attaque. A son âge... il y a peu d'espoir. Il vaut mieux aller le retrouver le plus vite possible.

Elle courut vers la bibliothèque. Sir Leonard était allongé sur le canapé, le visage bleuâtre, le souffle rauque et précipité. Elle se laissa tomber à genoux près de lui.

— Grand-père... Grand-père...

Une crise de sanglots l'empêcha d'en dire davantage. Il ouvrit les yeux et son visage crispé s'éclaira d'un faible sourire.

— Hello, mon petit... Je suis content que tu sois revenue.

Elle devina qu'il voulait dire « revenue à temps ». Elle refusa farouchement de s'attarder à cette idée.

— L'ambulance ne va pas tarder à arriver... balbutia-t-elle.

— Pas maintenant... dit-il faiblement, les traits contractés de douleur, en lui prenant la main.

La jeune fille leva les yeux vers Betterton qui venait d'entrer.

— Comment est-ce arrivé ?

— C'est Esterby, mademoiselle...

— Comment ? Jack Esterby a osé se présenter ici ?

— Oui, mademoiselle. Je n'ai pas pu le retenir. Sir Leonard l'a vu et m'a dit qu'il allait lui parler. Esterby est parti une demi-heure après. Alors, j'ai entendu le bruit d'une chute dans la bibliothèque. Monsieur gisait là, sur le sol.

— Ce sale bonhomme a tué grand-père !

A ces mots, sir Leonard ouvrit les yeux et voulut parler, mais il semblait à bout de forces.

— Esterby... murmura-t-il... Esterby... Philip...

— Qu'est-ce que Philip a à voir avec Esterby ? demanda-t-elle, soudain saisie d'un pressentiment.

Le vieillard s'agrippait à sa main, les yeux clos.

— Il a promis de s'occuper de tout... de s'occuper de tout quand je ne serai plus là... Je suis désolée, ma chérie. Je n'avais pas prévu cela. Pardonne-moi...

— Grand-père ! Je ne comprends pas ! Te pardonner quoi ?

— J'aurais dû t'en parler avant, souffla-t-il avec difficulté. Je le voulais... mais Philip disait...

Une grimace de douleur tordit ses traits.

— Désolée... ma chérie... plus le temps à présent... pardonne-moi...

— Grand-père, s'écria-t-elle, tu ne peux rien avoir fait de si grave que je ne puisse te pardonner.

— Pardonne-moi...

Il paraissait tellement désespéré qu'elle retrouva son sang-froid. Pendant des années, elle avait joué la comédie de la solidité, de la sérénité afin de sauvegarder la paix du vieil homme. Aujourd'hui plus que jamais, cela s'avérait nécessaire. Elle se redressa et sourit à travers ses larmes.

— Grand-père, articula-t-elle gravement, j'ignore de quoi il s'agit mais, en revanche, je sais que jamais tu ne m'aurais nui délibérément. Je te comprends et je te pardonne.

Un intense soulagement envahit le regard du vieil homme accroché au sien. Puis soudain, son visage se détendit. Non, ça n'était pas possible ! Grand-père est immortel. Oh, grand-père, ouvre les yeux, je t'en supplie...

— Non ! hurla-t-elle, à travers ses sanglots. Non !

C'était l'appel pathétique d'un enfant de nouveau jeté nu, abandonné dans la nuit glaciale. Il le comprit sans doute, car sa main se posa sur sa tête et il lui caressa les cheveux. Puis la main s'immobilisa, glissa, retomba. Tout était fini.

Deux jours plus tard, à la tombée de la nuit, M. Trask se présenta à la porte de Carrister Hall. Jenny lui ouvrit. L'homme de loi éprouva un choc devant son visage dur, fermé, les yeux secs. Il aurait préféré la trouver en larmes. D'autant que ce qu'il avait à lui dire viendrait bientôt aggraver son désespoir !

— Merci de me recevoir si tard, déclara-t-il en la suivant dans la bibliothèque. Je viens seulement de rentrer de voyage et d'apprendre la triste nouvelle. Sinon, je me serais hâté de vous rendre visite plus tôt.

Comme un automate, tandis qu'il lui présentait ses condoléances, elle le débarrassa de son manteau, lui offrit un siège d'un geste et lui servit une tasse de café.

Puis elle s'installa sur un petit tabouret, près de la cheminée. La pièce n'était éclairée que par une faible lampe d'appoint et les flammes jetaient d'étranges reflets dansants sur le visage de la jeune fille.

— J'avais l'intention de vous consulter de toute façon, expliqua-t-elle. Je voudrais savoir quel est mon recours contre Jack Esterby. C'est lui qui a tué grand-père...

— Oui, j'ai appris ce qui était arrivé. Les Betterton ont parlé partout de la visite d'Esterby et je suis heureux de vous dire qu'il n'a pas intérêt à se montrer dans le pays. Il a d'ailleurs pris des vacances soudaines. Maintenant, si vous envisagez un procès, autant vous dire tout de suite que c'est impossible, faute de preuves. Comment démontrer que sa démarche est la cause de la crise cardiaque de sir Leonard ? Nous ne savons même pas s'ils se sont querellés ! A son âge, votre arrière-grand-père pouvait mourir à tout moment...

— Je me doutais bien que vous me diriez cela. Mais Esterby s'est acharné sur lui, l'a harcelé de ses menaces. A sa manière, il l'a tué aussi sûrement que d'un coup de fusil !

— Jenny, croyez-moi, ne faites pas courir pareille rumeur, car Esterby pourrait vous poursuivre pour diffamation...

Elle se passa la main dans les cheveux d'un geste las. Sous ses yeux, de larges cernes violets, comme si elle n'avait pas dormi depuis longtemps.

— Oui, ricana-t-elle. Il ne laisserait pas filer une aussi belle occasion de nous nuire ! Il me faudrait alors vendre la maison pour payer l'avocat et les frais. Ne craignez rien. Je ne lui ferai pas ce plaisir.

— Jenny, il faut maintenant que nous en venions au but de ma visite. Je suis navré d'être le messager d'aussi mauvaises nouvelles et de vous... frapper dans le dos, mais je suppose que sir Leonard est mort avant d'avoir pu vous en parler...

Elle fronça les sourcils avec une attention soudaine.

— Avant de s'éteindre il a vainement essayé en effet de me confier quelque chose... mais il n'a pu m'en dire plus. Vous seriez donc au courant ?

— Oui... Comme c'est difficile ! Enfin, voilà. Ce n'est pas à vous que sir Leonard a légué Carrister Hall, mais à Philip Thornhill...

La réaction de Jenny fut différente de celle qu'il prévoyait.

— C'est donc ce qu'il voulait dire, murmura-t-elle d'une drôle de voix. Le jour de votre dernière visite, il m'a expliqué qu'il avait modifié son testament en vue de mon mariage. J'ai pensé qu'il faisait allusion aux enfants que nous pourrions avoir, Philip et moi. Je n'avais pas pensé à ça. Il est vrai que grand-père avait un tel souci des traditions... Il convenait pour lui que les biens soient mis au nom de l'époux. En fait, cela ne change pas grand-chose.

— Ma chère Jenny, pardonnez-moi de vous détromper. Je crains de m'être mal exprimé. Le nouveau testament ne prévoit pas comme condition votre mariage avec Philip Thornhill. Carrister Hall et les terres qui en dépendent lui ont été légués de plein droit. Il peut en disposer à sa guise, qu'il vous épouse ou non. Il peut vous mettre à la porte du jour au lendemain en vous laissant sans le moindre sou...

Chapitre sept

Jenny le dévisagea longuement. Puis elle émit un petit rire, un rire étonnant de dureté.

— Ce n'est pas vrai, dit-elle. Grand-père ne m'aurait jamais fait une chose pareille.

— Je crains que si, hélas. N'oubliez pas qu'il se croyait en parfaite santé et pensait assister à votre mariage ! Le testament ne prendrait effet que lorsque vous seriez déjà l'épouse de Philip Thornhill. De toute évidence, il n'avait pas prévu de disparaître si brusquement. J'ai pourtant essayé d'attirer son attention là-dessus, mais vous le connaissiez mieux que personne ! Il croyait pouvoir commander aux événements eux-mêmes.

La voix du vieillard mourant résonnait dans la mémoire de la jeune fille. Je n'avais pas prévu cela, murmurait-il. Voilà donc pourquoi, avant de partir, il tenait tant à être pardonné.

— Si vous voulez mon avis, continuait M. Trask, vous devriez envisager ce mariage le plus tôt possible, afin d'assurer votre avenir.

Pour la première fois depuis le début de leur entretien, Jenny sourit, presque amusée.

— Que j'épouse Philip pour son argent ?

— Oui. Les intentions de sir Leonard, je n'en doute pas, venaient du cœur, mais en rédigeant un tel testament avant votre mariage, il s'est montré inconséquent et vous a plongée dans une situation terriblement précaire.

Que signifiait tout cela ? Grand-père, à cause de ses principes démodés, m'a mise dans une position embarrassante, pensait-elle. Embarrassante si Philip ne m'épousait pas... Elle enfouit son visage dans ses mains pour mieux se concentrer.

— Il y a quelque chose que je ne comprends pas, dit-elle enfin. Grand-père a laissé la maison à Philip de plein droit. Sans faire allusion à un éventuel mariage entre nous, si j'ai bien saisi. Mais quel droit peut bien posséder Philip sur Carrister Hall si ce n'est par moi ?

— Vous l'ignorez vraiment ? Sir Leonard ne vous a donc rien révélé du tout ?

— Qu'avait-il à me révéler ?

L'homme de loi ouvrit sa serviette.

— Je crois qu'il vaut mieux que vous lisiez vous-même le testament... Je l'ai ici... C'est là, tout à la fin...

Elle parcourut rapidement le texte jusqu'à ce qu'apparaisse le nom de Philip. Son cœur fit alors un bond.

« ... à mon arrière-petit-neveu, Philip Thornhill, petit-fils de mon frère, George Carrister, portant à la fin de sa vie le nom de George Thornhill... »

— Mais c'est impossible, murmura-t-elle. George est mort en France... sans testament ni héritier.

— Il semble que non, répondit doucement M. Trask. Je ne peux que vous raconter ce que sir Leonard m'a lui-même appris. A la mort de son père, en 1936, sir Leonard a hérité le titre. C'est seulement alors qu'il a su par sa mère que durant toutes ces années, son frère était bel et bien vivant. Guéri de ses blessures, il s'enfuit en Amérique où il vécut sous le nom de leur mère — Thornhill. Il ne cessa jamais d'entretenir avec elle une correspondance régulière dont elle ne parla jamais du vivant de son mari, par peur de la réaction de ce dernier. A la mort de sir Henry, elle s'estima délivrée de ce lourd secret et s'en ouvrit à son fils cadet. C'était indispensable, pour des questions d'héritage.

Il s'interrompit un instant, avant de reprendre :

— Elle espérait sans doute que George rentrerait en Angleterre. Mais celui-ci avait réussi aux Etats-Unis, s'y trouvait bien et préférait passer pour mort pour les autorités anglaises. Et il donna formellement l'assurance, dans une lettre, que sir Leonard pouvait en toute tranquillité d'esprit s'approprier le titre et disposer de l'héritage. Il promit également de ne jamais se manifester en Angleterre pour ne pas compliquer la situation. Je ne me souviens plus des termes exacts de la lettre...

— Vous... vous avez lu cette lettre ?

— Bien sûr, votre grand-père l'avait gardée, afin de prouver que s'il avait hérité, pour ainsi dire illégalement, ce fut avec l'accord total de son frère. En réalité, seul le titre était usurpé. Son père l'ayant nommément mentionné dans son testament, la propriété lui restait acquise, même en cas — improbable — de retour de George.

— Le titre devait revenir au fils aîné...

— Je dois avouer que pour un juriste, cette affaire était des plus délicates et des plus embarrassantes... Quoi qu'il en soit, sir Leonard m'a affirmé avoir déjà parlé à Philip. Non seulement il l'a reconnu comme son arrière-petit-neveu, mais encore lui a fourni les pièces nécessaires pour le prouver. Il comptait rendre la chose officielle dès le retour de celui-ci des Etat-Unis. J'ai compris que je devais garder le secret, moi aussi.

— Mais pourquoi ne m'en a-t-il rien dit ?

— Il comptait le faire le lendemain de vos fiançailles, mais Philip a été rappelé d'urgence en Amérique. Avant de partir, votre fiancé lui-même a demandé à sir Leonard de ne pas vous en informer avant son retour. Tout semblait parfaitement raisonnable. Hélas ! votre grand-père est mort trop tôt, alors que rien ne le laissait présager.

— Que voulait-il dire en affirmant avoir donné à Philip les moyens de prouver ses droits ?

— Lady Carrister avait gardé toutes les lettres de son fils George envoyées d'Amérique. Elle les fit lire à son cadet qui entretint également une correspondance régulière avec son frère. Il y a donc là des preuves irréfutables établissant que George Carrister et George Thornhill n'étaient qu'une seule et même personne. Je suppose aussi que Philip Thornhill a informé sir Leonard qu'il était en possession de toutes les lettres reçues par sir George de sa famille. La correspondance complète enfin réunie était plus que convaincante.

— En d'autres termes, conclut Jenny d'une voix dure, quand Philip est arrivé ici, il savait que tout ce qu'il avait à faire était de convaincre grand-père, d'une manière ou d'une autre, de lui remettre ces lettres.

— C'est exact. Je ne vois toutefois pas quels arguments il a pu employer...

— Moi, je m'en doute, laissa tomber Jenny, désabusée. Je sais ce qu'il lui a promis en échange.

— Je vous demande pardon ?

— Oh ! Rien... rien d'important. Philip possède donc les lettres, à présent.

— Toutes, excepté une. Celle dans laquelle George autorise son frère Leonard à porter le titre. Il l'avait gardée pour me la montrer avant de la remettre à Thornhill avec les autres.

— Puis-je la voir ?

— Ce n'est pas moi qui l'ai. Sir Leonard l'a reprise.

Un long silence s'ensuivit. La jeune fille contemplait, l'air absent, les flammes qui dansaient dans la cheminée.

— Dites-moi, monsieur Trask, me conseillez-vous toujours d'épouser cet homme au plus vite ?

— Pour être honnête, répondit-il après une brève hésitation, si j'avais une fille, je n'aimerais pas la voir mariée à un individu aux agissements aussi...

110

tortueux. Philip Thornhill aurait pu avoir la décence de laisser les choses en l'état, après tant d'années, soixante-dix ans, vous ne trouvez pas ? La seule revendication légitime pouvait à la rigueur s'appliquer à son titre. La maison et les terres appartenaient de plein droit à votre aïeul. Il n'aurait pas dû le contraindre à les lui restituer.

— En effet, mais c'est justement elles qu'il convoitait.

— Pour les avoir, il a adopté une tactique on ne peut plus discutable. S'il avait révélé sa véritable identité dès le premier jour, il aurait au moins fait preuve d'honnêteté. Mais garder cet anonymat, entretenir avec vous ce quiproquo et harceler ce cher vieil homme quand il était seul avec lui... Non, vraiment, je me demande comment on peut agir ainsi... Cependant, si vous voulez récupérer Carrister Hall, je ne vois pas d'autre issue que le mariage, ma chère enfant. Soyons réalistes : vous ne possédez plus rien, absolument plus rien ! Sir Leonard bénéficiait d'une pension et de rentes qui se sont éteintes avec lui. Quant au capital de quelques milliers de livres qu'il avait investi, il l'a légué aux Betterton. Vous n'héritez que ses effets personnels. Il est évident qu'il portait une confiance aveugle à Philip Thornhill.

— Oui... nous lui faisions tous confiance...

Quand le notaire la quitta, Jenny resta longtemps prostrée devant le feu, ne ressentant même pas l'envie de pleurer tant elle était assommée. Son cœur et son esprit refusaient d'admettre ces révélations. Elle se souvenait à présent de chaque détail du séjour de Philip. Quand il s'était arrêté sur la route avec elle pour contempler la maison pour la première fois, il avait murmuré que tout était exactement comme... puis il s'était tu. Comme il s'attendait à le trouver, évidemment ! Et le soir, au dîner, après qu'elle eut fait allusion aux Thornhill reposant au cimetière, n'avait-il pas insisté sur le fait qu'il s'agissait là d'un nom très répandu ? Et puis, dans la galerie, lorsqu'elle lui raconta les raisons pour lesquelles George ne figurait plus sur le tableau, il n'avait pas bronché. Quant à sa rencontre avec Esterby, il s'était arrangé pour qu'elle n'assiste pas à l'entrevue, promettant sans nul doute à l'homme de prendre lui-même les choses en main quand sir Leonard ne serait plus. Sans doute voulait-il s'assurer que le produit de la vente du château lui revînt en totalité... A moins qu'il n'ait songé à neutraliser Esterby et à transformer le manoir en hôtel.

Il s'était joué de tous, les avait manipulés comme des hochets, se déclarant prêt à épouser Jenny en échange des lettres. Et le vieillard, la sachant amoureuse de lui, avait accepté le marché, croyant agir pour le mieux.

Le soir des fiançailles, sir Leonard semblait émerger d'une longue et douloureuse épreuve. Pas seulement parce qu'il redoutait de se séparer de son arrière-petite-fille, mais aussi, sans doute, par lassitude devant l'insistance de Philip. Plus tard, Esterby, s'impatientant, avait fait irruption à Carrister Hall, révélant au vieil homme l'accord conclu entre le futur maître du manoir et lui. Et sir Leonard avait subitement réalisé l'étendue de la duperie, de la duplicité de Philip. Avant de mourir, il avait voulu la mettre en garde contre celui-ci et la supplier de lui pardonner de s'être trompé.

Soudain, elle éclata en sanglots, songeant à ce vieillard qui l'aimait tant, rongé de remords et mourant avec un pareil tourment. Cet homme qui, il y a peu de temps encore, trônait solennellement sur l'immense fauteuil de cuir juste là derrière elle et dont elle percevait encore la présence.

Il fallait en avoir le cœur net ! Monter dans sa chambre sans s'émouvoir à la vue de ses pantoufles bien rangées, de sa pipe familière et de ses lunettes, ou pis encore, de la canne dont il se servait pour ses promenades. Le cœur serré, elle s'approcha du bureau et l'ouvrit avec une des clés du trousseau de sir Leonard. Rien qui ressemblât de près ou de loin à une lettre. Elle passa tous les tiroirs en revue dont un seul était fermé. Il s'ouvrit avec la même clé. Elle y trouva un gros agenda noir portant la date de l'année en cours. Grand-père tenait un journal ! se répéta Jenny, stupéfaite. Elle le feuilleta rapidement, chercha le jour de l'arrivée de Philip au manoir.

« Le petit-fils de George est arrivé aujourd'hui à Carrister Hall. Il s'appelle Philip Thornhill et je l'ai immédiatement reconnu. »

Jenny n'en crut pas ses yeux et dut relire le passage. Dès le premier jour, sir Leonard connaissait l'identité réelle de son hôte et n'en avait soufflé mot à personne ! Pas même à elle ! Mais oui ! Durant l'altercation entre Philip et Terris, il avait paru abasourdi. En réalité, ce n'était pas tant l'autorité de Philip qui le surprenait mais le fait qu'il ressemblât tant à son arrière-grand-père. Un revenant ! Et voilà pourquoi il avait été si brusque au dîner, pourquoi ces allusions au culte des ancêtres. Des années durant, le vieux chef de clan redoutait le jour où arriverait le jeune loup pour l'évincer... Elle se plongea de nouveau dans la lecture du journal intime :

« Dès que je l'ai vu, j'ai su que ce nom de Thornhill n'était pas une coïncidence. C'était bien lui, même s'il ne ressemble pas physiquement à George. Il a la même manière que ce dernier de venir à bout des crapules en utilisant leurs propres méthodes. Il m'a dit venir de Boston et posséder une chaîne d'hôtels. George aussi avait réussi dans ce domaine. Certaines de ses lettres portaient également le cachet de cette ville. Quand Jenny nous a quittés, à l'heure du porto, je m'attendais à ce qu'il parle. Mais il s'est contenté de plaisanter sur des sujets sans importance. Il semble très épris de Jenny. Elle est également amoureuse de lui et croit que je ne m'en suis pas aperçu...

« Mardi 26 avril : Jenny et Thornhill ont passé la

113

journée ensemble. Si ces deux-là pouvaient s'unir, tous les problèmes seraient d'un seul coup résolus. Il ne m'a toujours pas parlé. Il ne peut pourtant ignorer son identité réelle. Si c'était le cas, pourquoi serait-il venu ici ?

« Mercredi 27 avril : la fille de Whickham est venue rendre visite à son père. Elle a rencontré Philip et pourrait causer un désastre. Elle est venue ce soir sous un prétexte fallacieux. Jenny ne s'aperçut de rien avant que je lui ouvre les yeux. Cette chère enfant manque d'intuition féminine. Elle va perdre son Thornhill si je n'interviens pas...

« Jeudi 28 avril : il est très tard. Thornhill a passé la journée avec la fille Whickham. Il n'est toujours pas rentré. J'ai forcé Jenny à reconnaître son amour pour lui. Elle n'a pas nié. Je l'ai rassurée sur l'éventualité d'un départ aux Etats-Unis en lui disant que je les accompagnerais. Je n'en suis pas très sûr. Quitter cette vieille maison à mon âge... Il fallait bien la calmer, sinon elle serait fort capable de faire des bêtises, par exemple de renoncer à lui. Il faudrait qu'elle l'épouse pour devenir lady Carrister (mais peut-il être Thornhill en Amérique et Carrister ici ? problème à résoudre).

« Vendredi 29 avril : le garçon est rentré à cinq heures du matin. Je l'ai vu passer par la fenêtre de la bibliothèque. Certes, il est bon qu'un jeune homme s'offre des aventures, mais faut-il qu'il le montre si ouvertement ? Dieu merci, Jenny n'est pas au courant. Ce n'est donc pas grave.

« (Dans la soirée) Thornhill est venu dans ma chambre cet après-midi et m'a confié être le petit-fils de George. Je lui ai montré les lettres de ce dernier. Comme il brûlait de les avoir ! Quoi d'étonnant. Elles lui permettraient de prouver son identité.

« Nous avons conclu un marché que je crois correct. Il veut reprendre ses droits. Je veux défendre ceux de Jenny. Il l'épousera et, de mon côté, je lui fournirai les preuves dont il a besoin, y compris les lettres. Je vais modifier mon testament pour que Carrister Hall lui revienne à lui et non à Jenny. Ainsi tout rentrera dans l'ordre. Etant sa femme, elle ne manquera de rien. Et je ferai en sorte qu'il n'y ait pas d'autres « aventures ». Je ne veux pas voir souffrir ma petite Jenny. Philip s'est incliné sans peine.

« Jenny ne saura jamais ce que j'ai fait pour elle. C'est un peu dommage. Mais elle souffrirait d'apprendre qu'il ne l'a pas épousée par amour. Il semble bien l'aimer pourtant, et fera un bon mari. Je brûlerai ce journal lorsque je sentirai ma fin proche afin qu'elle ne sache jamais que son vieux grand-père l'a mariée à son insu à l'homme qu'elle voulait épouser. »

En lisant, Jenny avait l'impression d'entendre la voix bourrue de sir Leonard dans la pièce. Elle se prit la tête entre les mains.

Son cher bisaïeul aurait-il cru à la version de Philip, cette probable supercherie, à son retour aussi tardif ? Elle, oui, taisant ses doutes. Mais la confiance était-elle justifiée ? Et cette aventure avec Olympia ? Justifiée ou non ? Evidemment, il ne tenait pas à ce que cela parvînt aux oreilles de sir Leonard. S'il s'était « incliné » si facilement, sans doute était-ce l'effet d'une conscience tourmentée.

D'un geste brusque, elle repoussa le journal. A quoi bon penser à cela à présent ? Tout était fini entre Philip et elle, s'il avait jamais existé quelque lien entre eux ! Désormais, elle ne pouvait plus se permettre d'être bonne et douce. A l'avenir elle se devait d'être forte, de faire appel à toute son énergie, voire à une dureté qu'elle n'avait jamais manifestée.

Soudain, elle aperçut dépassant du journal une lettre jaunie, postée à Boston et datée de 1936, adressée à sir Leonard Carrister, Carrister Hall.

Dès les premiers mots, elle fut frappée par la tendresse empreinte dans ces quelques lignes.

George Carrister éprouvait toujours la même affection pour ce frère qu'il n'avait pas revu depuis vingt ans. Il lui expliquait qu'il ne reviendrait jamais en Angleterre. Il possédait désormais sa propre entreprise, avait épousé une Américaine et semblait parfaitement adapté à sa nouvelle patrie. D'ailleurs, quitter les Etats-Unis aurait nécessité, des deux côtés de l'Atlantique, d'embarrassantes mises au point familiales. Et que dire de sa résurrection inopinée aux yeux de la loi britannique? Sans parler de son jeune fils dont il était impensable de perturber l'équilibre... Bref, sir Leonard pouvait accepter l'héritage et le titre, sans le moindre remords et sans crainte d'un revirement ultérieur de sa part.

Elle aima l'ironie sensible du ton, le non-conformisme de cet homme, son arrière-grand-oncle. Ainsi, Philip devenait son cousin! Il était le maître de Carrister Hall à présent, par filiation directe et par héritage. Il saurait bientôt qu'elle ne contestait pas le testament de sir Leonard, car elle avait donné son adresse à M. Trask.

L'avait-il vraiment aimée ou lui jouait-il la comédie? Au fond, qu'importait? Il était de connivence avec Jack Esterby et celui-ci avait tué son arrière-grand-père, mort le cœur brisé par la duplicité de Philip. Ce qui avait provoqué sa crise cardiaque...

Le téléphone sonnait avec insistance au rez-de-chaussée. Philip, sans doute. Il appelait toujours à cette heure. La veille, lorsqu'elle lui avait annoncé le décès de sir Leonard, il l'avait réconfortée, certes, mais d'une voix tendue, distante. Il ne pouvait lui parler plus longuement car il devait s'entretenir avec le chirurgien de sa mère. Et il avait promis de la rappeler longuement, ce soir-là.

Le téléphone continuait de sonner, obsédant, déchirant. Mais Jenny restait assise, comme statufiée, auprès de l'appareil. Elle regardait, absente, le cœur vide, sans décrocher. Longtemps après, la sonnerie cessa enfin.

Chapitre huit

— Vous ne pouvez savoir à quel point je vous suis reconnaissant d'avoir retardé les obsèques afin que je puisse y assister, ma chère enfant.

Jenny considéra avec affection le vieux général Waters qui lui rappelait tellement son bisaïeul.

— Vous étiez son meilleur ami. Je sais qu'il l'aurait voulu ainsi.

Assis tous les deux dans le salon du seul hôtel décent du village, ils évoquaient le disparu à la veille de l'enterrement. Le vieil officier avait dû retarder son voyage à cause de son état de santé.

— Mon médecin de neveu ne voit pas d'un bon œil mes déplacements et ne m'aurait pas laissé partir si je n'avais été vraiment rétabli... Savez-vous, mon enfant, qu'il est consterné ? Lui qui venait tout juste de prédire à sir Leonard une santé de fer pour les dix années à venir...

— Une crise cardiaque ne prévient pas, fit Jenny doucement, le cœur serré. A tout moment, à tout âge.

Le souvenir de son arrière-grand-père, si impétueux, si vivant encore la fit soudain éclater en sanglots, au grand embarras du général. Il la laissa se calmer, puis changea de sujet.

— Ne m'en veuillez pas si je n'ai pas accepté votre invitation à séjourner au manoir, mais je suis un vieux maniaque, qui a l'habitude des hôtels... Il n'y aura bientôt plus personne là-bas ?

— Les Betterton sont en effet prêts à partir. Leur petit héritage leur permet de s'offrir le bungalow de leurs rêves au bord de la mer. De mon côté, je trie et range les affaires de grand-père afin de les emporter avec moi.

Il la regarda à la dérobée.

— Curieuse situation, n'est-ce pas ? Ce Thornhill... assistera-t-il à l'inhumation ?

— Non, il est encore à Boston. Sa mère était souffrante, mais je pense qu'elle se porte mieux à présent.

— A mon avis, plus tôt il reviendra ici afin de vous épouser, mieux cela vaudra.

— Il n'y aura pas de mariage, annonça-t-elle calmement.

— Mais... ma chère enfant... Mon cher vieux Leonard ne lui a laissé la propriété que dans votre intérêt. Sans vous, il ne posséderait rien.

— Mais si ! En réalité il est l'arrière-petit-neveu de grand-père et le dernier descendant mâle de la branche aînée de la famille...

— Mais il s'appelle Thornhill, sapristi ! S'il ne peut pas porter le nom des Carrister, il aurait tout aussi bien pu être une femme !

— Cela ne change rien, de toutes les façons. Je n'ai pas l'intention de jamais me lier à lui. Par le mariage du moins. Car nous sommes cousins issus de germains...

— Jenny, il ne faut pas lui en vouloir parce qu'il n'a pas abattu ses cartes dès le début. Il avait peut-être ses raisons... de bonnes raisons. Laissez-lui au moins la possibilité de se justifier.

— Je me moque de ses raisons ! Il a fait du mal à grand-père ! Je ne veux pas en savoir davantage !

— Quel dommage que cela soit arrivé en son absence, murmura le général. Lui présent, il aurait pu tout éclaircir sur-le-champ. Tandis que dans ces tristes circonstances vous avez eu toute une semaine pour ruminer vos griefs dans ce mausolée sinistre... Je me demande comment cela va finir.

Il avait raison. Elle en voulait à Philip chaque jour davantage. Au cours de la semaine écoulée, elle avait maigri. Son visage enfantin s'était sculpté, creusé, pour acquérir une dureté, une ossature nouvelles qui l'embellissaient étrangement.

— Et qu'allez-vous faire à présent ? Vous n'avez pas un sou. Croyez-vous que tel était le vœu de Leonard ? Non ! Il voulait vous voir mariée à Philip Thornhill...

— Et si c'était lui qui ne voulait plus de moi, maintenant ?

— Seigneur ! Pourquoi vous repousserait-il ?

— Parce qu'il a obtenu ce qu'il voulait, sans avoir besoin de m'épouser.

Elle quitta peu après le vieil ami de son aïeul et parcourut une partie du chemin à pied, dans la rue principale du village. Au détour de celle-ci le cottage du Dr Whickham apparut. Elle y avait garé sa voiture. Et si elle entrait un instant comme le lui avait demandé le professeur ?

— Ah ! Vous voici ! s'exclama ce dernier avec un soulagement évident en l'accueillant dans la bibliothèque. Figurez-vous que j'ai téléphoné à Londres pour modifier la réservation de ma chambre d'hôtel. Et voilà qu'on m'apprend que celui-ci étant complet, on m'en a réservé une autre dans un établissement situé au diable ! Jenny, je dois absolument loger près du British Museum ! Je n'ai aucune envie de traverser tout Londres chaque jour !

— Je m'en occupe, le rassura-t-elle. Ils m'avaient confirmé cette réservation, ils doivent s'y tenir.

Dix minutes plus tard, elle reposait le téléphone.

— Vous aurez la chambre prévue. Tout est arrangé. Ai-je été assez désagréable ?

— Un véritable adjudant ! répondit-il, à la fois

amusé et admiratif. Ce n'est pourtant pas dans votre nature.

— C'est ma nouvelle nature...

— Jenny, mon enfant, ne glissez pas sur la pente de l'intransigeance...

— Il le faut. Je viens de bavarder avec le général Waters. Il me conseillait de me marier, comme toutes les filles de sa génération. Parce que, sans dot, je ne suis bonne à rien.

— Vous ? Bonne à rien ? J'ai rarement entendu chose aussi stupide... En tout cas, mon enfant, si jamais vous rompez vos fiançailles avec Philip, sachez que j'aimerais vous garder près de moi. Vous êtes une précieuse collaboratrice.

— Je plaisantais, bien sûr. Ce n'était pas une demande d'emploi camouflée...

— Mais j'y tiens, Jenny ! Si vous avez vraiment l'intention de quitter Carrister Hall...

— Je n'ai pas le choix. En vérité, je n'ai même pas le droit de m'y trouver en ce moment et j'en partirai quand Philip viendra en prendre possession.

— Et s'il désire également la présence de sa fiancée ?

— Dans ce cas, il verra qu'on n'obtient pas tout ce qu'on veut par testament. Les êtres humains ne se lèguent pas !

Le Dr Whickham la considéra d'un air pensif. Où était-elle l'adorable jeune fille rieuse et naturelle d'il y a quelques semaines à peine ? Quelque chose semblait la ronger, une raison étrangère à la mort de sir Leonard et à la trahison de Philip. Il se garda toutefois de poser des questions.

— Jenny, de tout mon cœur je souhaite que vous vous réconciliiez, Philip et vous. Mais en cas de rupture définitive, je vous en prie, venez me voir immédiatement. J'ai besoin d'un cerbère pour montrer les crocs aux directeurs d'hôtel malhonnêtes. Je ne suis pas d'une nature combative.

— Moi, si !

120

— Alors, montez au feu pour moi! Je vous emmène à Londres, je vous emmène aux Etats-Unis! Vous serez ma secrétaire. Je vous l'aurais proposé depuis longtemps si vous aviez été libre...

— C'est entendu, répondit-elle simplement. Je vais réserver une autre place de train.

Elle qui rêvait de se marier dans cette petite église de village, conduite à l'autel par son bisaïeul de si noble allure, suivait son cercueil aujourd'hui, le cœur saignant de rancœur envers l'homme qui l'avait trahie.

Une foule nombreuse se pressait dans l'église; certains, ne trouvant pas de place à l'intérieur, restaient debout dehors. Tous avaient tenu à rendre un dernier hommage à cet homme estimé depuis trois quarts de siècle. Le cercueil disparaissait sous les gerbes de fleurs. Dans sa douleur, Jenny ne pouvait s'empêcher d'être fière de lui. Mais devant la fosse béante qui attendait la dépouille, elle faillit craquer, appuyée au bras du Dr Whickham.

— Venez, dit-il doucement. Partons à présent.

Il l'entraîna vers le portail. C'est alors qu'elle leva les yeux. Devant elle se tenait Philip.

Le choc fut si violent qu'elle pensa s'évanouir. Il était là, la fixant d'un regard glacial, perçant. Elle trembla malgré elle devant la colère farouche qu'il semblait contenir avec peine.

Comme s'il ne se doutait de rien, le professeur s'écria :

— Mon cher Philip, comme je suis content que vous soyez venu!

— Merci, répondit-il en lui serrant la main. J'ai bien failli ne pas arriver à temps. Des... obstacles... avaient été dressés sur mon chemin...

Il enveloppa Jenny d'un regard indéchiffrable.

— Comment se porte votre mère?

— Elle va bien, merci. Elle se remet de son accident.

121

— Parfait... parfait... marmonna le Dr Whickham, à court d'inspiration.

— Jenny, demanda Philip d'un ton calme et glacial, me permettez-vous de vous reconduire au manoir ?

— Je... je préfère rester ici encore un moment... Des doigts d'acier lui enserrèrent le bras.

— Vous allez rentrer à Carrister Hall tout de suite, ma chère, fit-il d'une voix menaçante. Et avec moi. Nous avons des choses à nous dire qui ne peuvent attendre.

— En ce qui me concerne je n'ai rien à vous dire !

— Mais moi j'ai un tas de questions à vous poser et vous y répondrez, Jenny, que vous le vouliez ou non ! J'ai droit, il me semble, à quelques explications. Et je les obtiendrai, même si je dois pour cela vous secouer comme un prunier ! Si vous y tenez, je suis prêt à le faire ici, en public.

— Vous osez me demander des explications ? Vous ? s'emporta-t-elle. C'est plutôt à moi d'en attendre !

— J'aurais pu y répondre la semaine dernière. J'étais prêt à m'expliquer à tout moment... si vous aviez daigné m'en donner l'occasion. Mais non ! Soudain, on ne répondait plus au téléphone ! Ou alors Betterton avait pour consigne de dire que Mademoiselle n'était pas là. Je vous ai demandé de me rappeler. Pas de nouvelles ! Ce n'est que lorsque l'avoué de sir Leonard m'a prévenu que j'ai vaguement compris pourquoi vous boudiez...

— Bouder ! s'indigna-t-elle.

— Taisez-vous ! Vous voulez une scène devant tout ce monde ? Très bien ! Vous l'aurez ! Dès que j'ai reçu le télégramme de Trask, je lui ai téléphoné. C'est ainsi que j'ai appris que l'enterrement avait lieu aujourd'hui. J'ai pris le premier avion, mais je n'ai pu assister qu'à la fin de la cérémonie. Jenny ! Allez-vous monter calmement dans la voiture, maintenant, et rentrer à Carrister Hall avec moi ?

La foule se dispersait peu à peu, les bousculant

au passage car ils se tenaient au beau milieu de l'allée centrale du cimetière. Quel spectacle, mon Dieu, offrait-elle aux curieux... Les joues en feu, la tête droite, elle se dirigea vers la voiture.

— Et les Betterton ? demanda-t-il.

— Ils rentreront plus tard. Ils ont rendez-vous avec M. Trask...

— Parfait ! Nous pourrons donc discuter sans témoins.

Ils effectuèrent le trajet dans un silence pesant. D'abord choquée par Philip qui semblait se poser en incompris, alors qu'il avait grugé son monde en un tournemain, Jenny comprit que, pour lui, rien n'avait changé. Il ignorait qu'elle connaissait la vérité sur ses agissements. Mais pourquoi feignait-il encore de se préoccuper d'elle ? Croyait-il toujours que pour parvenir à ses fins, il était forcé de l'épouser ? M. Trask ne lui avait donc pas confirmé qu'il héritait tout sans condition ? A quoi bon cette comédie ?

Arrivé à Carrister Hall, il s'engouffra dans le hall chargé de nombreux bagages, comme s'il avait l'intention d'y séjourner longtemps. Tel un auto-mate, elle entra dans la bibliothèque, enleva cha-peau et voile noirs, libérant ses boucles folles, et déposa son manteau sur le dossier d'une chaise. C'est alors qu'elle perçut la présence de Philip, tout près d'elle.

Un instant, elle crut revoir l'homme tant aimé, en qui elle avait cru aveuglément. Le chagrin qu'elle croyait si bien dominé la terrassa d'un seul coup et elle porta la main à ses lèvres pour étouffer ses sanglots prêts à fuser. Aussitôt, son « cousin » lui offrit le refuge de ses bras.

— Jenny, je suis désolé. Je n'aurais pas dû me montrer si bref, de là-bas. Mais si vous saviez tout ce que vous m'avez fait endurer ! J'étais profondé-ment attaché au cher vieux monsieur et j'aurais aimé assister à son enterrement et non y arriver à la dernière minute. Mais laissons cela... Quand on est malheureux, on agit parfois d'étrange façon et je sais combien cette épreuve a été cruelle pour vous. Je vous en veux de m'avoir exclu, alors que j'aurais voulu être à vos côtés pour vous réconforter. Jenny... Jenny...

Les lèvres de Philip caressaient ses cheveux, ses joues mouillées de larmes. Il la serrait contre lui, et malgré elle elle commençait à revenir à la vie, gagnée par la chaleur familière de son corps. Oh! chéri! pensa-t-elle, quoi que vous fassiez, je vous aime et vous aimerai toujours. Désespérée, elle enfouit son visage dans son épaule, se blottissant contre lui, les bras autour de son cou, comme un animal blessé en quête d'un refuge. Ses sens émergeaient peu à peu de leur torpeur au contact de sa bouche si chaude sur son visage ruisselant. Quand il s'empara enfin de ses lèvres, elle s'abandonna sans réserve. Non, jamais elle ne pourrait en aimer un autre!

— Mon amour, ne m'en veuillez pas, je vous en supplie. Je sais à quel point cette situation est blessante, humiliante pour vous, murmura-t-il. Mais je n'étais au courant de rien. Je vous le jure.

Ce mensonge la ramena brutalement à la réalité. Elle se dégagea de son étreinte, sans brusquerie, mais sans hésitation non plus. Les yeux perdus du côté du grand fauteuil vide, près de la cheminée, elle déclara :

— Ne jouez pas les innocents, Philip. Vous m'avez menti et trompée dès la minute où nous nous sommes rencontrés pour la première fois. Vous auriez pu me dire tout de suite qui vous étiez et pourquoi vous étiez là...

— Et, à votre avis, Jenny, que faisais-je là? demanda-t-il de sa voix tranquille.

— Mais c'est évident! s'écria-t-elle. Vous débarrasser des... usurpateurs et revendiquer vos droits!

— Vous dites n'importe quoi! Et puis, je vous en prie, cessez de me parler de droits et d'usurpation comme si nous jouions un drame victorien! Je n'ai jamais eu l'intention de prétendre à quoi que ce soit ! C'est la raison pour laquelle je ne vous ai pas révélé mon identité véritable. Je ne savais même pas si Carrister Hall existait encore et j'étais persuadé qu'aucun membre de la famille ne subsistait. Jenny ! J'avais quinze ans quand mon grand-père que j'aimais beaucoup m'a raconté son évasion. Cela représentait pour moi l'Aventure, avec un grand « A ». Quand j'ai hérité ses lettres, à sa mort, j'ai eu envie de venir ici, voir les lieux où naquit cette aventure, où mes ancêtres avaient vécu pendant des siècles. Je voulais seulement connaître le berceau de ma famille. C'est le rêve de tout Américain. Le mien a été exaucé. Je n'ai jamais eu d'autre idée en tête.

Il la contempla un instant en silence.

— Et puis je vous ai rencontrée, reprit-il. Vous m'avez appris qui vous étiez et où vous viviez. J'ai compris que j'allais au-devant de problèmes, d'autant plus que sir Leonard était encore en vie alors que je le croyais mort depuis des années. Seulement voilà, nous étions déjà dans votre voiture, en route pour Carrister Hall ! J'ai donc décidé de me taire pour ne pas ajouter à vos soucis et à ceux de votre grand-père. Je désirais seulement visiter les lieux et m'en aller.

— Mais grand-père vous a identifié au premier coup d'œil !

— Je ne pouvais pas le deviner ! Il ne m'a jamais rien dit. S'il m'en avait parlé ouvertement, je ne lui aurais rien caché. Je ne me doutais pas qu'il gardait un tel secret !

— Philip, tout cela est très plausible, admit-elle, impassible. A vous entendre, personne ne se douterait que vous aviez conclu de sang-froid un marché avantageux. Vous m'épousiez en échange des lettres prouvant votre état civil...

Philip, blême, recula.

— Oh ! Mon Dieu ! murmura-t-il, atterré. Que savez-vous à ce sujet ?

Jusqu'au dernier moment, elle avait espéré qu'il la détromperait. Au contraire! Ces quelques mots lui enlevèrent ses pauvres, ses ultimes illusions.

— Vous reconnaissez donc qu'il y a eu accord, échange d'intérêts?

— Pourquoi le nier? De toute évidence, vous savez tout. Mais les choses ne se sont pas passées comme vous l'imaginez, Jenny. C'est lui qui m'a proposé cela, pas moi! Je ne suis entré dans son jeu que pour lui faire plaisir. J'avais, de toute façon, l'intention de vous épouser...

— Ah! non, pas ça! cria-t-elle. Taisez-vous! Epargnez-moi vos mensonges! Je sais très exactement ce qui s'est passé cet après-midi-là! Je n'ignore aucun détail de vos entrevues. Vous lui avez mis le marché en main — les lettres contre notre mariage. Dire que c'est moi qui vous ai soufflé pareille idée! Car c'est bien cela, n'est-ce pas? Le jour où je vous ai montré le tableau de sir Henry, je vous ai raconté que grand-père regrettait de ne pas avoir de descendant mâle de ma génération auquel me marier... Quelle aubaine pour vous! Vous l'avez terrorisé en menaçant de tout révéler. Il ne lui restait qu'une chose à faire : vous restituer le titre et changer son testament en votre faveur... Et à présent, vous osez me jeter en face que vous ignoriez son intention de vous léguer Carrister Hall?

— Jenny, fit-il d'une voix blanche. Pour l'amour du ciel, taisez-vous! Taisez-vous avant de prononcer des mots que je ne pourrais pas vous pardonner...

— Je me moque de votre pardon! Vous ne m'êtes rien, je ne veux plus vous revoir! Je suis pourtant satisfaite de votre venue, ce qui m'a permis de vous cracher au visage ce que je pense d'un individu tel que vous, jouant une répugnante comédie de l'amour dans un but purement sordide, trompant et effrayant un vieillard fragile, l'acculant à la mort.

— Jenny ! Je vous préviens... Je suis prêt à passer sur beaucoup de choses sachant que vous devez être à bout de nerfs. Mais là, vous allez trop loin. Je n'ai rien à voir avec le décès de sir Leonard !

— Au contraire ! hurla-t-elle au milieu de ses sanglots. Vous et vos combines avec Jack Esterby...

— Que diable vient...

— Parce que vous imaginez que je ne suis pas au courant ? Ce fameux jour où vous avez refusé que j'assiste à votre entretien, ce n'était nullement pour épargner mes chastes oreilles mais pour vous entendre avec lui... Après votre départ pour Boston, cet Esterby de malheur est venu voir grand-père et lui a révélé la vérité : que vous aviez promis de vous occuper de tout, lui disparu ! Voilà ce qui l'a tué ! Il a soudain compris que vous l'aviez trompé, compris ce que vous m'aviez fait... il n'avait été que votre instrument !... Il en est mort. Vous en êtes responsable ! Vous, vous seul !

Trop tard, elle ne pouvait plus se taire. La terrible accusation avait franchi ses lèvres malgré elle. Un silence terrifiant s'abattit entre eux. Tout était consommé, irréparable. Devant elle se dressait un homme redoutable au regard tranchant et implacable — le regard sans pardon des Carrister.

— Si vous le pensez vraiment, je n'ai rien à ajouter. Je pourrais me justifier, vous prouver que vous n'êtes qu'une petite idiote qui n'a rien compris. Mais à quoi bon ? A mon tour à présent de dire : je ne veux plus jamais vous revoir. Et écoutez-moi bien, Jenny, car je ne me répéterai pas : fichez le camp de ma maison !

Chapitre neuf

Ce qui émerveilla Jenny quand elle tira les rideaux de sa chambre fut le soleil étincelant au-dessus des vagues. Du bungalow des Betterton on avait en effet une vue splendide sur la mer. Elle resta un instant à la contempler puis passa une main lasse dans sa chevelure en désordre. Il devait être trois heures de l'après-midi.

Elle était arrivée la veille sensiblement à la même heure, et Mme Betterton, en découvrant sa petite mine pâle et épuisée, s'était empressée de l'envoyer au lit.

La porte s'ouvrit et la brave femme fit son apparition, portant un plateau avec du thé et des toasts :

— Voici de quoi tenir jusqu'au déjeuner, annonça-t-elle d'une voix enjouée.

— Un petit déjeuner à trois heures de l'après-midi ? s'exclama Jenny en s'efforçant de paraître enjouée. Tout cela me semble très appétissant, mais je vous en prie, madame Betterton, je peux me servir moi-même. Je ne suis quand même pas invalide !

— Justement si ! Si vous vous étiez vue, hier, avec votre pauvre petit visage, quand vous êtes arrivée ici ! Vous vous relevez d'une pneumonie et on ne s'en remet pas du jour au lendemain ! Allez, allez, asseyez-vous et ne discutez pas ! Vous vous êtes suffisamment occupée de nous pour que nous vous dorlotions un peu à notre tour !

Qu'il était apaisant de se laisser bousculer ainsi, après la série d'ennuis qui l'avait frappée. Après son départ de Carrister Hall, tout de suite après sa dispute avec Philip, n'emportant que quelques effets réunis à la hâte, elle se réfugia cette nuit-là au cottage du Dr Whickham. Et dès le lendemain, elle accompagnait celui-ci à Londres. Mais ce fut pour y tomber aussitôt malade — la réaction sans doute aux récents événements. Et, un beau jour, elle s'était réveillée à l'hôpital, souffrant d'une pneumonie.

Le Dr Whickham s'était occupé d'elle avec une touchante sollicitude, venant la visiter chaque jour. Un matin, il lui remit une lettre des Betterton qui l'invitaient chez eux, dans leur nouveau bungalow.

— Rien de tel que l'air de la mer pour vous rétablir ! s'était écrié son vieil ami.

Malgré ses protestations, il la conduisit chez eux où il la laissa pour achever sa convalescence.

— Quel merveilleux endroit, madame Betterton. Vous avez eu de la chance de pouvoir vous y installer si vite. Quand avez-vous quitté le manoir ?

— Il y a six semaines, le lendemain de votre départ. M. Thornhill nous a dit que nous pouvions rester aussi longtemps qu'il nous plairait, mais sans vous et sir Leonard rien n'était pareil. Nous sommes venus directement ici, à l'hôtel, et nous nous sommes mis à la recherche d'un bungalow à vendre ou à louer.

— Et voilà que je vous encombre juste au moment où vous pensiez être enfin tranquilles ! plaisanta Jenny.

Quelle drôle d'impression de ne plus vivre à Carrister Hall. Même si son séjour au bord de la mer lui rendait couleurs et santé, elle ne pouvait se défaire d'une profonde lassitude intérieure, incapable d'envisager son avenir.

Mais le Dr Whickham n'entendait pas se défaire d'une collaboratrice de sa valeur. Il lui conservait son emploi qu'elle pourrait reprendre dès son retour. En attendant, il lui faisait parvenir chaque semaine un « salaire » qui eût déjà paru excessif si elle avait fourni quelque travail, mais qui était hors de proportion au regard de son inactivité. Et cela, malgré ses protestations. Elle en avait pleuré. Elle pleurait d'ailleurs pour un rien ces derniers temps.

Tout à fait par hasard, elle découvrit que le professeur versait une pension aux Betterton, après qu'il leur eut recommandé de ne surtout pas lui en parler. Dans un éclat de rire — le premier depuis des siècles — elle décida de réagir. Trois semaines plus tard, complètement remise, elle s'apprêtait à annoncer son retour à son employeur quand lui parvint une lettre qui bouleversa son fragile équilibre. Elle lui était adressée par un correspondant qui, ignorant son adresse, chargeait M. Trask de la faire suivre.

Philip ! Aucune nouvelle de lui depuis le jour où il l'avait jetée à la porte de Carrister Hall. Ses doigts tremblants déchirèrent l'enveloppe et elle lut à travers ses larmes :

« Jenny,

« J'ai beaucoup réfléchi et même si je ne reconnais plus en vous la douce jeune fille que j'ai rencontrée c'est à elle que je pense et c'est elle que je ne veux pas faire souffrir inutilement en lui laisant croire que j'ai trompé et terrorisé sir Leonard, au point de causer sa mort. J'ai donc décidé de vous raconter ce qui s'est réellement passé.

« Comme je vous l'ai dit, seule la curiosité m'a conduit à Carrister Hall. J'en avais tant entendu parler par mon grand-père ! Vous ignorez sans doute que celui-ci, après avoir été recueilli par une famille française, alors qu'on le tenait pour mort, organisa son départ pour les Etats-Unis avec l'aide de sa mère. Il s'est même caché à Carrister Hall, au nez et à la barbe de sir Henry, jusqu'au départ de son bateau ! Si romanesque aventure ne pouvait laisser l'adolescent que j'étais indifférent. Je rêvais de voir Carrister Hall, berceau de mes ancêtres. Rien de plus. A quoi bon vous révéler mon identité et vous inquiéter ? Je ne comptais rester que quelques jours. Si je n'étais tombé amoureux de vous, vous n'auriez jamais plus entendu parler de moi.

« Seulement je vous aimais déjà. Qui sait, si vous aviez appris qui j'étais, peut-être m'auriez-vous jeté dehors ? Je ne voulais pas courir un tel risque. Et puis, j'avais la sotte ambition d'être aimé pour moi-même. Vous acceptiez d'épouser tout simplement Philip Thornhill et ce n'est qu'après notre mariage que j'aurais avoué être l'héritier des Carrister. Je sais, tout semble absurde aujourd'hui. Mais, sur le moment, cela m'a paru très important.

« Et puis le vendredi après-midi, sir Leonard m'a fait demander. Je suis donc allé le retrouver dans sa chambre. Là il m'a dit savoir qui j'étais et parlé des lettres prouvant mon identité. Elles me permettaient de reprendre ma vraie place. J'ai eu beau lui affirmer que je ne désirais rien lui reprendre et que le titre ne m'intéressait pas, il ne voulut pas en démordre. Je l'ai presque offensé en prétendant qu'un titre ne signifiait pas grand-chose à mes yeux.

« Ce qui le préoccupait essentiellement, c'était vous. Que mon irruption dans votre existence vous prive de vos droits l'inquiétait. Il m'a alors proposé ce marché : je vous épousais et il me rendait mon nom et les documents justifiant celui-ci. Je lui expliquai que tout cela ne présentait aucune importance, puisque je vous aimais et que je comptais vous épouser de toute façon. Il en a seulement déduit que ma réponse était celle, courtoise et mondaine, d'un gentleman...

« Comme vous, qui aviez préservé son monde suranné, j'ai également voulu entretenir son rêve. Pour lui, j'étais l'héritier tant espéré auquel il vous unirait comme on le faisait autrefois. J'ai joué le jeu et accepté qu'il « arrange » notre mariage. Pour qu'il soit heureux.

« Je n'ai jamais demandé à votre grand-père de modifier son testament en ma faveur. Ce fut son idée à lui. Son éducation le poussait à respecter le droit d'aînesse. Mais jamais je n'aurais imaginé testament aussi insensé. Quand son avoué m'en a informé à Boston, j'ai été horrifié. J'ai aussitôt essayé, vainement et à plusieurs reprises, de vous joindre. Je désirais vous offrir Carrister Hall en cadeau de mariage. Mais vous refusiez de me parler.

« Je ne m'attendais pas à ce que sir Leonard nous quittât si tôt. Il semblait invulnérable ! C'est pourquoi je l'avais convaincu de ne pas vous révéler mon identité trop tôt. Je ne voulais pas que vous m'épousiez pour sauvegarder votre maison, et uniquement pour cela. Nous vous aurions dit la vérité à mon retour des Etats-Unis.

« Je tiens à ce que vous sachiez ceci : jamais je n'ai effrayé sir Leonard, ni fait pression sur lui. Au contraire, me savoir le descendant direct de son frère, auquel il vouait une grande affection, l'enchantait. Son rêve le plus cher se réalisait : voir se perpétuer la lignée des Carrister. Sa seule préoccupation : les exactions de Jack Esterby au cas où il viendrait à disparaître. Mais je lui promis de m'occuper de tout, de vous surtout, après sa mort. Vous affirmez que j'ai tué ce cher vieil homme ? Non, il est mort en paix, car il savait que quelqu'un vous protégerait de ce dangereux individu.

« Je ne sais ce qui vous a fait imaginer une quelconque entente entre Esterby et moi. Je ne l'ai vu qu'une seule fois, le jour de sa visite à Carrister Hall. Je vous ai ordonné de rentrer et lui ai administré une raclée, le menaçant de recommencer s'il venait encore rôder dans les parages. Vous présente, il aurait pu me poursuivre devant un tribunal en vous citant comme témoin. Imaginez ce qu'eût éprouvé sir Leonard! J'avais d'ailleurs raconté ce règlement de compte à votre arrière-grand-père et il en rit longtemps. Son père aurait, paraît-il, réagi exactement de la même manière. Et nous avons parlé des heures durant de mon grand-père. J'ai rarement été aussi heureux que cet après-midi-là. Certes, sir Leonard semblait épuisé, mais d'émotion, de souvenirs ravivés.

« Je n'ai pas songé un seul instant à vous déposséder de votre demeure mais au contraire à la partager avec vous et rester quelques années en Angleterre pour mes affaires. Ainsi sir Leonard n'aurait pas quitté Carrister Hall où nous aurions vécu jusqu'à sa fin. Mais à quoi bon parler de tout cela ? Après nous être tant déchirés, nous ne pouvons plus nous aimer. Car rien ne prouve que ce que je viens d'écrire est la vérité, n'est-ce pas, même si je vous en donne ma parole ? Aucun témoin ne peut plaider en ma faveur. La douce et gentille Jenny que j'aimais n'aurait, elle, pas besoin de preuves ni de témoins. Mais elle n'est plus. L'autre, l'amère, l'intransigeante, je l'imagine mal m'accordant le bénéfice du doute...

« J'aurais voulu vous rendre Carrister Hall pour vous prouver mon désintéressement, mais c'est impossible. Seule vous ne pourriez lutter contre des rapaces tels qu'Esterby. Je suis en meilleure position que vous pour le défendre. Et c'est bien ce que je compte faire.

« Mais vous n'y perdez rien. M. Trask a procédé à une expertise du manoir et pourra vous confirmer qu'une somme d'argent a été déposée à votre intention chez lui. Ce n'est pas une compensation pour ce que vous avez perdu. Cela vous revient, tout simplement.

« Le jour va bientôt se lever. J'ai passé toute la nuit à vous écrire et pourtant il me semble n'avoir pas réussi à exprimer le fond de mes pensées, de mon cœur. Et maintenant, comment trouver les mots justes pour vous dire adieu ?

« Jenny, je n'ai jamais voulu vous faire de mal. Je vous supplie de me croire. Tout ce que je désirais était de vous aimer et vivre toute ma vie auprès de vous. Je voulais des enfants de vous, vieillir tout doucement à vos côtés. Mais nous sommes tous deux des Carrister et notre satané orgueil nous empêchera toujours de pardonner et d'oublier. Nous finirions par nous détruire. Il est trop tard, Jenny. Restons-en là et ne conservons que nos souvenirs les plus doux.

« Adieu. Que Dieu vous bénisse.

Philip. »

La jeune fille resta un long moment immobile. A quoi bon relire la lettre, elle en connaissait déjà chaque mot par cœur. Elle se cacha le visage de ses mains. Philip était innocent, bien sûr ! Son seul tort avait été de garder le secret de son identité. Pouvait-elle l'en blâmer, maintenant qu'elle connaissait ses raisons ? Elle frissonna à l'évocation de sa propre attitude : glaciale, bornée, hargneuse ; ce refus de lui parler, de l'entendre se justifier, ses injures... le traiter d'assassin, lui ! Elle ne se le pardonnerait jamais. Elle s'était conduite comme une Carrister. La pire d'entre eux. Philip à son tour réagissait comme le voulait leur caractère héréditaire. Il n'existait plus aucun espoir.

On frappa un petit coup discret qui la sortit de sa prostration. Le visage souriant de Mme Betterton apparut dans l'entrebâillement de la porte. Soudain, Jenny eut envie de lui parler de Philip, d'effacer la mauvaise opinion que cette brave femme pouvait avoir de lui.

— Je ne comprends pas comment vous pouviez penser qu'il était de mèche avec Esterby, s'écria aussitôt sa logeuse. Il l'a quasiment réduit en miettes !

— Comment ? Vous saviez... ?

— Mais bien sûr ! J'étais dans le poulailler. J'ai entendu une dispute et je suis sortie par curiosité, juste à temps pour voir Esterby dégringoler les marches. Il se frottait le visage en hurlant. M. Thornhill lui a ordonné de disparaître s'il ne voulait pas avoir l'autre œil poché. Et ce sale type qui criait6 : « J'ai la loi pour moi », ce à quoi M. Philip a répondu : Mais vous n'avez pas de témoin ! ». Je me suis vite cachée pour ne pas être citée, au cas où...

— Et vous n'en avez jamais parlé à personne ?

— On ne m'a jamais rien demandé. Je ne savais pas que c'était si important. Il ne vous en a pas touché mot lui-même ?

— Il y a beaucoup de choses qu'il ne m'a jamais racontées. J'étais persuadée, par exemple, qu'il faisait chanter grand-père, qu'il le terrorisait à plaisir. Et il affirme au contraire que grand-père le faisait demander.

— Bien entendu !

— Mon Dieu ! Ne me dites pas que cela aussi, vous le saviez !

— Et comment, je le savais ! Sir Leonard sonnait toutes les cinq minutes pour nous demander, à Betterton ou à moi, si M. Thornhill n'était pas encore rentré ! Comme si nous n'avions que cela à faire ! Nous lui avions promis de le lui envoyer dès son retour. Seigneur ! Je ne sais plus combien de fois il nous a fait monter et descendre ce maudit escalier. Heureusement que M. Philip est enfin arrivé ! Mais pourquoi riez-vous ainsi ? Ma pauvre enfant, vous semblez fiévreuse, agitée... Vous vous sentez bien ?

— Chère madame Betterton, je me porte comme un charme, déclara la jeune fille en s'efforçant au calme. J'ai seulement besoin d'une longue promenade. Un peu d'air frais me remettra les idées en place. En vérité, il n'y a rien de drôle dans toute cette histoire...

Chapitre dix

— Ouf ! Quel plaisir de rentrer enfin chez soi, de retrouver l'Angleterre, s'écria Jenny. Ce n'est pas que je me déplaise aux États-Unis, mais je commence à avoir le mal du pays...

— Je reconnais que je ne suis pas mécontent non plus, répondit le Dr Whickham. Notre séjour a duré trois bons mois, mais je crois que cela en valait la peine. Je crois avoir découvert pas mal de sujets encore ignorés des spécialistes. Et du public, donc ! Allons bon ! Voilà que je recommence à parler travail ! Voilà qui ne convient guère à notre dernière soirée américaine. Encore un peu de vin ?

— Oui, merci. Quel excellent dîner ! J'imagine que vous brûlez d'impatience de mettre vos notes au propre à présent.

— Je les ai déjà réécrites et corrigées une cinquantaine de fois ! J'ai si souvent exposé mes recherches aux journalistes de la radio, de la télévision, de la presse écrite... Je ne m'attendais pas à susciter un tel intérêt.

— Vous voilà célèbre !

— Soyons modestes... déclara-t-il, plutôt content de lui.

La jeune fille sourit d'un air indulgent. Elle avait passé la majeure partie de son temps à préparer ses interviews, à contacter et renseigner les journalistes, auxquels elle remettait une solide documentation. Ceux-ci, fort curieux des mœurs des precolons du Massachusetts, avaient épuisé le professeur jusqu'à le rendre aphone. Si bien que Jenny donna son ultime entretien télévisé à sa place.

— Ne m'aviez-vous pas annoncé encore une interview ? Si nous partons demain, je vois mal comment nous pourrions l'accepter.

— En fait, c'est un certain Jeff Turner qui m'en a fait la demande. Mais comme il ne s'est pas manifesté, je suppose qu'il a changé d'avis.

— Tant mieux ! Je ne veux plus entendre parler de journalistes ! Dites-moi, ma chère Jenny, pourquoi avez-vous choisi cet hôtel ?

— Il nous en fallait un proche de l'aéroport de Boston. Pourquoi ? Il ne vous plaît pas ?

— Au contraire. C'est un endroit charmant. Comme la plupart de ceux où nous sommes descendus. Je me demandais seulement s'il faisait partie de la chaîne Thornhill...

— Non ! répliqua Jenny très vite, comprenant trop tard qu'elle s'était trahie.

— C'est donc bien ce que je pensais. Vous vous êtes renseignée chaque fois...

— C'est vrai. Je me renseigne toujours avant, car je ne tiens pas à rencontrer... qui vous savez.

— En êtes-vous bien sûre ?

— Oui. Vous n'ignorez pas à quel point j'étais anxieuse de venir ici. Bien qu'il fasse de nombreux séjours en Angleterre, Philip doit être dans les parages. Il est chez lui, ici. Dieu merci, nous ne l'avons pas rencontré ! Comprenez-moi, s'il avait répondu à ma lettre, tout aurait été différent. Mais par son silence, mon... « cousin » m'a clairement fait comprendre ses sentiments...

Cette lettre avait été une torture. Après l'avoir remercié de la somme déposée chez M. Trask, en précisant qu'elle n'y toucherait jamais, elle laissa parler enfin son cœur, reconnut ses erreurs, et demanda pardon. Mais pas de réponse. Rien que l'absence et l'abandon. Elle avait attendu, attendu, remplie d'espoir, des jours, puis des semaines. Sans succès. Il dédaignait l'amour qu'elle lui offrait.

La reconnaîtrait-il aujourd'hui dans l'élégante jeune femme qu'elle était devenue ? Son visage, sculpté par la souffrance, ne gardait trace des rondeurs de l'enfance, non plus que de l'éphémère dureté de son regard. Désormais son rire sonnait joliment, sans cynisme ni aigreur. Mais elle riait rarement et une ombre de mélancolie errait toujours sur ses traits graves. Le Dr Whickham ne pouvait s'empêcher de regretter parfois l'adorable garçon manqué qui dissimulait sa fine silhouette sous un pull informe et un jean délavé. Cette nouvelle Jenny pleine d'assurance, vêtue d'un tailleur de velours brun, aux longs cheveux relevés en chignon lâche, au maquillage impeccable, oui, cette Jenny était presque inquiétante.

Le dîner terminé, ils s'installaient sur la terrasse quand ils remarquèrent un remue-ménage près de la porte. Une femme d'un certain âge apparut, soutenue par deux hommes vigoureux. Elle marchait lentement en s'aidant d'une canne. Malgré les marques de la maladie et des épreuves de la vie sur son très beau visage, elle rayonnait d'optimisme et de bienveillance.

Elle prit place près de Jenny, ses deux compagnons s'empressant autour d'elle afin qu'elle fût assise confortablement et ne manquât de rien. Elle leur donna congé avec gentillesse et, les saluant de la main, fit alors un faux mouvement. Sa canne roula sur le sol jusqu'aux pieds de Jenny. Celle-ci la ramassa aimablement.

— Merci beaucoup, mademoiselle... Dieu, qu'il est désagréable de devoir toujours déranger quelqu'un et de ne rien pouvoir faire soi-même correctement !

A son léger accent anglais, Jenny eut l'impression de l'avoir déjà rencontrée quelque part.

— Ce n'est qu'une indisposition passagère, j'espère, dit-elle, en rapprochant son siège du sien. Relevez-vous de maladie ?

— Un accident de voiture, il y a quelques mois. Des ennuis ensuite avec mon dos. Immobilisée durant des semaines. Ma famille est sur les genoux ! Moi qui ai toujours été si active ! Un vrai supplice...

La jeune fille eut une soudaine illumination : elle comprit pourquoi l'inconnue lui paraissait si familière ! Trop tard, hélas !

— Je ne crois pas, dit-elle, que votre famille puisse vous considérer comme une charge...

— Elle devrait ! Je me demande comment ils ont pu me supporter. Vous avez raison. Tous ont été merveilleux pour moi. Mon fils Philip surtout. Malgré ses fiançailles rompues à cause de moi, il ne m'en a pas tenu rigueur.

— Je suppose que s'il en avait beaucoup souffert, il vous l'aurait confié.

— Oh ! Il était effondré. Jamais je ne l'avais vu ainsi. Sans ce stupide accident, il serait marié depuis longtemps.

Jenny posa son verre d'un geste décidé.

— Il se fait tard, remarqua-t-elle. Veuillez m'excuser, je dois me coucher de bonne heure. Heureuse de vous avoir connue.

— Vraiment, Jenny, d'après ce que m'en avait dit Philip, je vous croyais plus courageuse...

Abasourdie, elle la contempla longuement, tandis que le Dr Whickham s'éloignait avec discrétion.

— Comment... comment savez-vous qui je suis ? balbutia-t-elle enfin.

— A dire vrai, cette rencontre n'est pas l'effet du hasard. En revanche, seule une coïncidence m'a permis de regarder votre émission télévisée d'hier. C'est ainsi que j'ai appris que vous accompagniez ce professeur dont Philip m'a tant parlé. J'ai eu envie de rencontrer enfin la jeune femme responsable des peines de cœur de mon fils. Un de mes amis journalistes, Jeff Turner, a obtenu votre adresse sans peine. Ensuite, j'ai réservé une chambre dans cet hôtel. Je vous ai immédiatement reconnue, bien que vous soyez très différente de la photographie que je connaissais.

— Mais... Philip n'a jamais eu de photo de moi !

— Comment ? Vous ne le saviez pas ? Quand il a dû regagner Boston d'urgence, il en a demandé une à votre arrière-grand-père. Il la gardait toujours sur lui. Et, bien entendu, il n'a pas pu résister à l'envie de me montrer la délicieuse jeune fille qui deviendrait sa femme.

— S'il vous a raconté ce qui s'est passé par la suite, vous devez être soulagée par notre rupture, fit Jenny, la gorge serrée.

— Soulagée ? De voir mon fils souffrir ?

— Il n'est pas ici, n'est-ce pas ? demanda-t-elle brusquement.

— Non, rassurez-vous. Vous le détestez donc tant ?

— C'est lui qui me hait. Je lui ai écrit pour lui demander de me pardonner. Il n'a jamais répondu...

— Il n'a peut-être pas reçu votre lettre...

— C'est impossible. Je ne le croyais pas si rancunier, si implacable. Il est vrai que c'est un Carrister !

— Il dit la même chose de vous. Comme c'est curieux ! Je crains en effet que Philip ne soit si absolu dans sa détermination qu'il ne donne pas de deuxième chance à ceux en qui il plaçait tous ses espoirs.

— Que savez-vous exactement de nous ?

— Pas grand-chose. Mon fils n'est pas bavard. Il a toujours été trop orgueilleux pour admettre qu'il était profondément blessé. Enfant, déjà il refusait qu'on le plaigne. Racontez-moi ce qui s'est passé.

Avec reconnaissance, la jeune fille lui conta leur idylle sans omettre aucun détail.

— Ce que j'ai fait est horrible, reconnut-elle. Ne pas lui laisser une chance de s'expliquer au téléphone... l'accuser de la mort de grand-père... Je comprends qu'il ne veuille plus entendre parler de moi.

— Vous avez agi tous les deux sottement. Mais le mal est fait. Il ne vous reste plus qu'à oublier ce damné orgueil des Carrister et à vous pardonner mutuellement. Vous devez être sur la bonne voie, car je ne vois pas trace sur votre visage de cette dureté qu'évoquait Philip.

— En effet, j'ai beaucoup réfléchi depuis...

— Et vous avez appris la sagesse et la générosité. C'est toujours utile. Il serait souhaitable que mon fils en fasse autant.

— Madame, vous parlez comme s'il subsistait un espoir pour Philip et moi. Je vous assure qu'il n'en reste aucun. Tout est fini entre nous. A tel point que j'ai veillé à ne jamais descendre dans un hôtel de la chaîne Thornhill, durant notre séjour aux Etats-Unis, afin de ne pas risquer de le rencontrer...

La mère de Philip contempla ses mains un long moment.

— Dommage. J'aurais bien aimé vous avoir pour belle-fille.

— N'y pensons plus. C'est encore à vif. Je suis heureuse de vous avoir rencontrée et d'apprendre que vous conserverez de moi une opinion pas trop défavorable.

— Oh! Mais si! Je pense que vous êtes une tête de mule, une orgueilleuse, une insensée — tout comme Philip. Je vous imagine très bien mariés. Vous déchirant sans trêve, vous aimant avec passion, formant bloc face au monde entier. Rien n'aurait pu vous ébranler...

— C'est possible, conclut la jeune fille en souriant. Je dois vous quitter à présent. Au revoir, madame.

— Voulez-vous me confier un message pour Philip?

— Non! Non! A vrai dire, j'aimerais que vous ne lui parliez pas de notre rencontre...

— Ce ne sera pas nécessaire! lança une voix tranquille derrière elle.

Prise de vertige, elle se retourna, leva les yeux. Philip! Ils échangèrent un regard qui les isola du reste du monde. D'une inextricable confusion de sentiments émergeait une joie profonde, bouleversante. L'homme qu'elle aimait était là. Amaigri, le regard las, des rides nouvelles au creux des joues. Mais il était là! Et son cœur manquait d'exploser. Rien de changé. Elle l'aimait toujours aussi violemment, de tout son corps, de toute son âme. Mais lui, le sachant, l'avait rejetée.

— J'allais partir, Philip, déclara-t-elle d'un ton neutre. Une minute plus tard, et nous ne nous rencontrions pas.

— Le message est clair, fit-il avec un petit sourire ironique. Si vous aviez su qu'il existait le moindre risque de me rencontrer, vous ne seriez pas ici. Reçu cinq sur cinq!

— On m'avait assuré que vous n'étiez pas là.

— J'ai dit qu'il n'était pas là, intervint la mère du jeune homme. Je n'ai pas dit qu'il ne viendrait pas. Simple restriction mentale...

— Mère, tu es incorrigible! Quand cesseras-tu de jouer les entremetteuses?

Il la contemplait avec une tendresse touchante; il ressemblait presque au Philip d'autrefois.

— Quand les gens, en particulier mes enfants, se conduiront moins stupidement dans la vie.

— Ni Jenny ni moi-même n'avons à nous plaindre de cette situation. Nous nous sommes expliqués, mais les justifications réchauffées ne servent pas à grand-chose, n'est-ce pas, Jenny?

La voici, la réponse que j'attendais, pensa-t-elle. Mes excuses venaient trop tard. Il n'y a pas cru. Plus d'espoir, oh mon Dieu! Le cœur serré, elle conclut d'une voix atone:

— En effet, demain vient toujours trop tard. Cette fois, je dois vraiment m'en aller. Bonne nuit, madame.

— Prendrez-vous un verre avec nous avant de vous enfuir ?

Prolonger ces précieux instants, rester encore près de lui, comme c'était tentant ! De toute évidence, Philip avait été séduit par la nouvelle Jenny. Elle pourrait le reconquérir grâce à cette attirance purement physique. Mais son amour pour elle était mort. Tout le reste n'était que désir.

— Merci, Philip, mais on m'attend.

Il serra soudain les lèvres, interprétant sans doute sa réponse comme un congé définitif. Bouleversée, elle esquissa un vague sourire et sortit très vite, sans se retourner.

Dans sa chambre, elle comprit que l'espoir ne se laisse pas assassiner aussi facilement. Mme Thornhill allait sans doute raconter à son fils leur entrevue par le menu, l'inciter à faire taire son orgueil. Oui ! Il fallait que cela se fasse ainsi ! Philip voudrait alors lui parler, il frapperait à la porte et... Elle s'endormit longtemps après, l'oreille encore aux aguets.

Vers quatre heures du matin, un bruit de moteur sous sa fenêtre la réveilla. Elle se pencha et reconnut Philip. Il claqua violemment la portière de sa voiture. Quelques instants plus tard, il avait disparu.

Chapitre onze

Le Dr Whickham et Jenny étaient rentrés en Angleterre depuis trois semaines et passaient le plus clair de leur temps à dépouiller les dossiers, esquisses et gravures envoyés des Etats-Unis et à mettre de l'ordre dans leurs notes de voyage.

Quelle étrange impression de vivre de nouveau au village de King's Carrister, mais sans habiter le manoir. La jeune fille avait trouvé une petite chambre dans une pension, mais considérait le cottage du professeur comme son vrai foyer. Elle accordait au vieux scientifique la même affection attentionnée qu'elle vouait autrefois à sir Leonard.

— Regardez les gravures de Hugh Dormer que je viens de recevoir, Jenny !

— Je ne les avais encore jamais vues.

— En effet, elles ne figurent dans aucune collection connue. Ces œuvres appartiennent à M. Spellmann avec lequel j'ai longuement discuté là-bas. Il avait accepté de faire photographier ces gravures et de m'envoyer les clichés. Il a tenu parole.

— Qui sont ces gens ? demanda-t-elle avec curiosité.

— Les ancêtres de Spellmann. Ils faisaient partie des premiers colons... Mais, Jenny, qu'y a-t-il de si drôle ?

— Excusez-moi, fit-elle en essayant de garder

son sérieux. Voyez-vous, j'ai toujours considéré Dormer comme un artiste sans grand talent. Et voilà que je découvre qu'en plus c'était un fumiste.

— Comment ?

— Vous devriez examiner de près le plafond de Carrister Hall. Vous y retrouverez tous ces visages.

— Vraiment ?

— Je crois que Dormer était si médiocre portraitiste qu'il ne disposait que de trois modèles de visages qu'il adaptait au gré des circonstances. Il les a fait passer pour des Carrister, les a utilisés de nouveau pour en faire des Spellmann.

— Mais c'est prodigieux ce que vous dites là, mon enfant ! s'écria le vieux professeur, très excité. Il nous faut absolument des photos du plafond pour appuyer cette thèse. Vous allez venir avec moi et me montrer tout ça.

— C'est impossible. Je vous rappelle que Philip m'a jetée dehors...

— Aucune importance ! Il est absent pour le moment et vous avez sûrement votre clé.

— Oui, je suis partie en catastrophe et j'ai oublié de la lui rendre. Malgré tout, je n'ai pas le droit d'entrer ainsi à Carrister Hall. Quand vous aurez l'autorisation du maître des lieux, je vous remettrai ma clé et je vous expliquerai ce que vous devez examiner là-bas. Je n'y remettrai pas les pieds !

Le ton était si tranchant que le Dr Whickham n'insista pas. Cette nuit-là, Jenny eut du mal à s'endormir. Certes Philip ne vivait pas à Carrister Hall en ce moment, mais s'il venait un jour s'y installer ? Et y amenait sa femme ? Elle éclata en sanglots. Oh, fuir loin d'ici ! Impossible, l'historien avait trop besoin d'elle.

Deux jours plus tard, se rendant au cottage, elle trouva le professeur tremblant d'excitation.

— Jenny ! Nous pouvons aller à Carrister Hall aujourd'hui. J'ai la permission du nouveau propriétaire.

146

— Le nouveau propriétaire ? répéta-t-elle, le cœur affreusement serré.

— Oui. Tout est réglé. M. Trask m'a confirmé que les formalités étaient accomplies. On nous attend ce matin.

— Un étranger... murmura-t-elle. Comment a-t-il pu ?

— Il semble que Philip se soit décidé très brusquement. Quelle chance pour nous ! Plus rien ne vous empêche à présent de m'accompagner.

— Si le nouveau propriétaire vient de s'installer, n'est-ce pas un peu tôt pour le déranger ?

— Pas du tout ! Mon enfant, vous avez décidément l'esprit lent, ce matin. Je vous répète qu'on nous attend. Gardez votre manteau. Nous partons tout de suite.

— Allez-y... je vous en prie, allez-y sans moi, je ne peux pas, balbutia-t-elle, prise de panique.

— Jenny, vous savez que je déteste conduire. Vous n'allez pas me laisser tomber juste au moment où la chance nous sourit !

Chance pour lui, regrets pour moi, songea-t-elle, blessée qu'il lui manifestât si peu de compassion. Dès qu'il s'agissait de ses recherches, le Dr Whickham, par ailleurs le meilleur homme de la terre, se révélait un impitoyable égoïste.

En arrivant à Carrister Hall, Jenny reçut un choc. Elle s'attendait presque à voir surgir Betterton en haut des marches. Sa chère vieille maison... Un imperceptible changement était intervenu, mais elle n'aurait su dire lequel.

— La dernière fois que je suis venu ici, remarqua le Dr Whickham, Carrister Hall tombait pour ainsi dire en ruine. Regardez ce que Philip en a fait. Il a dû dépenser une fortune !

Mais oui ! La maison était en apparence intacte mais subtilement restaurée. Le toit avait été refait, les fenêtres se paraient de châssis neufs, les carreaux cassés étaient remplacés, ainsi que les gouttières et les canalisations. Philip avait sans doute entrepris ces travaux pour accroître la valeur marchande de la propriété dont il comptait se débarrasser. Mais quels que fussent ses mobiles, elle lui en était profondément reconnaissante. Carrister Hall avait enfin le visage qu'elle rêvait depuis toujours de lui rendre.

Une fois à l'intérieur, elle passa d'une pièce à l'autre. Là aussi, tout avait été repeint, réparé avec goût, avec amour. L'auteur de cet embellissement aimait cette demeure aussi profondément qu'elle-même. Mais alors pourquoi l'avoir vendue ?

— Voici le fameux plafond de Dormer, annonça Jenny.

— C'est extraordinaire ! s'écria le Dr Whickham. Mais il me faudrait voir ces peintures de plus près.

— Vous auriez pu les observer depuis la galerie des ménestrels, enfin la tribune de musique. Je l'avais condamnée par mesure de sécurité, mais peut-être qu'à présent...

— A présent, vous pouvez y aller sans crainte, fit une voix derrière elle.

Curieusement, l'apparition de Philip ne la surprit qu'à demi. Quelque chose au fond d'elle-même lui avait murmuré qu'elle le trouverait ici. Sans feindre l'étonnement, elle s'avança vers lui, la main tendue.

— Merci, déclara-t-elle simplement. Vous aviez raison, Philip, je n'aurais jamais pu restituer au château sa splendeur passée. J'avais toujours rêvé de le voir ainsi, entretenu avec soin et amour. Si le nouveau propriétaire s'en occupe aussi bien, mon bonheur sera complet. Mon cousin, je vous remercie du fond du cœur !

— Elle vous plaît vraiment ? demanda-t-il avec une certaine anxiété.

— Oui. Vous avez bien mérité d'en être le maître à présent. J'aurais préféré que vous le restiez.

— C'est impossible, répondit-il en secouant la tête. Quelqu'un possède plus de droits que moi sur cette maison.

Que voulait-il dire par là ? Elle avait tant de mal à rassembler ses pensées. Il se tenait trop près d'elle, son cœur battait trop violemment. Son amour pour lui réduisait tout le reste à néant, y compris la demeure elle-même.

— Je crois que vous n'avez plus besoin de moi maintenant, Philip, lança le Dr Whickham depuis la galerie des ménestrels.

— Non, merci. Vous avez joué votre .rôle à merveille. Un vrai prix de Conservatoire ! Je me charge du reste.

Tout en parlant, le jeune homme ouvrit une porte, poussa sa visiteuse dans la pièce et referma la porte derrière lui.

— Vous... vous étiez complices... balbutia-t-elle. C'est une conspir...

Il ne la laissa pas achever. Quand leurs lèvres se séparèrent, longtemps, très longtemps après, elle resta appuyée contre lui, le visage enfoui dans son épaule, éperdue de bonheur. Il lui caressa doucement les cheveux, resserra son étreinte.

— Jenny, chuchota-t-il à son oreille, dites-moi qu'il n'est pas trop tard, dites-moi que vous m'aimez encore.

— Vous le savez. Votre mère a dû vous le dire.

— Je voulais l'entendre de votre propre bouche. Mon amour, dites-moi que j'ai encore une chance...

— Mais... Philip... c'est ce que je réclamais moi-même dans ma lettre... Je vous suppliais, j'y abandonnais tout orgueil.

— J'ai un aveu à vous faire... Redites-moi d'abord que vous m'aimez et que vous me pardonnez d'avance...

Elle l'embrassa, intriguée.

— Je vous aime et il n'est rien que je ne puisse vous pardonner...

— Je n'ai jamais lu votre lettre.

— Comment ?

— Ou plutôt, je l'ai ouverte pour la première fois il y a trois semaines, juste après notre rencontre à l'hôtel. Elle était arrivée en mon absence. Quand je suis rentré chez moi, j'ai trouvé un mot de ce bon M. Trask m'expliquant que vous ne vouliez pas de l'argent qui vous revenait. Il ajoutait que vous alliez m'écrire à ce sujet. J'imaginais le genre de propos implacables que vous étiez capable de me tenir, une lettre aussi dure que vous-même l'étiez le jour de votre départ de Carrister Hall. Je ne l'ai donc pas ouverte. Quand je vous ai rencontrée à Boston avec ma mère, j'étais fou de joie. Je vous croyais venue pour moi. Mais non, en réalité, vous faisiez tout pour m'éviter. Et puis vous aviez tellement changé ! J'aurais peut-être réussi à amadouer la gamine que j'avais connue en vieux jean, en pull trois fois trop grand pour elle. Mais vous étiez si équilibrée, si belle...

— Vous me trouviez jolie, c'est vrai ? balbutiat-elle, très émue.

— Presque aussi belle que lorsque vous êtes apparue dans votre robe de velours vert, en haut de l'escalier de Carrister Hall, le jour de mon arrivée, à l'instant même où je suis tombé amoureux de vous.

Ils s'embrassèrent longuement, puis il murmura contre sa bouche :

— Si vous aviez entendu ma mère, après votre départ. Elle m'a traité de tous les noms. Quand elle m'a parlé de vos sentiments à mon égard, j'ai vu le monde entier chanceler. Avant de monter m'expliquer avec vous, je suis parti comme un fou chercher cette lettre. A mon retour, après avoir conduit toute la nuit, vous aviez quitté l'hôtel... J'étais si désemparé que c'est encore ma mère qui m'a suggéré d'entrer en contact avec le Dr Whickham. J'avais si peur de vous perdre à nouveau... Oh ! Jenny ! Pourrez-vous me pardonner un jour ?

— Ne parlons plus du passé... Chéri, vous n'aviez pas besoin de m'attirer dans ce guet-apens. Vous n'aviez qu'un mot à dire et j'accourais. Je n'ai pas douté un seul instant de votre sincérité en lisant votre lettre. Pourtant, je ne m'explique pas certaines choses... par exemple pourquoi, le jour où vous m'avez demandée en mariage, vous m'avez repoussée...

— Moi ? Je vous ai repoussée ?

— Oui, nous étions dans le bois, rappelez-vous. Nous étions sur le point de faire l'amour, et soudain vous m'avez rejetée, abandonnée. J'ai eu froid. Si bien que je pensais que vous preniez toutes précautions pour reprendre votre parole ultérieurement.

— Non. C'est difficile à expliquer. Cette propriété a une atmosphère tellement aristocratique et figée, et sir Leonard possédait un sens de l'honneur et des usages si poussé, que mon comportement m'a été soudain dicté par eux. Carrister Hall m'avait pour ainsi dire envoûté.

— A qui avez-vous vendu Carrister Hall ? demanda-t-elle brusquement.

— L'ai-je vendu ?

— Le Dr Whickham m'a parlé d'un nouveau propriétaire. Oh ! Je comprends ! Cela faisait partie du plan pour m'attirer ici ! Vous gardez Carrister Hall !

— Non, mon amour. Je vous l'ai expliqué. Quelqu'un a plus de droits que moi sur ce manoir. Tenez, lisez ceci.

Il sortit de sa poche une enveloppe et la lui tendit. Mais elle était trop émue. Elle tremblait. Il l'ouvrit pour elle. Les mots dansaient devant ses yeux.

— Un acte de donation... murmura-t-elle enfin.

— Oui. Guenièvre s'écrit bien ainsi, n'est-ce pas ?

Elle acquiesça d'un mouvement de tête, la gorge serrée. Elle éclata en sanglots. Amour, reconnaissance, surprise... Philip la serra tendrement contre lui, attendant qu'elle fût calmée.

— J'ai toujours affirmé que vous auriez Carrister Hall en cadeau de mariage. Je l'ai gardé le temps de régler les droits de succession et d'en terminer la réfection.

Un toussotement discret attira leur attention.

— Je regrette de vous déranger, intervint le Dr Whickham, mais Jack Esterby est là.

La jeune fille se raidit dans les bras de Philip.

— Venez, ma chérie, j'ai quelque chose à annoncer à ce monsieur qui ne lui fera sûrement pas plaisir...

— Philip...

— Ne craignez rien, faites-moi confiance.

Comme elle avait précédé Philip de quelques pas, Jack Esterby la crut seule et s'avança, goguenard et vaguement menaçant. Mais quand son fiancé apparut, il blêmit et recula.

— Il y a des témoins, cette fois, murmura-t-il.

— Tant mieux pour vous ! Car c'est avec plaisir que je vous aurais réglé votre compte.

— Attendez la prochaine réunion du conseil municipal ! Vous serez moins arrogant. N'avez-vous pas compris que vous avez perdu ? Je crois que si, car je sais que vous avez fait expertiser la propriété, le mois dernier. Vous voulez en tirer le maximum, hein ?

— Monsieur Esterby, commença Philip avec un calme glacial, la personne qui s'est présentée ici, il y a un mois, n'était pas un expert immobilier, mais un inspecteur du ministère de l'Environnement. Le bâtiment qui se dresse devant vous est désormais classé monument historique, un des meilleurs exemples d'architecture du quinzième siècle, avec un plafond décoré par Dormer, fresque d'un incomparable intérêt culturel... Il est désormais interdit à quiconque d'y porter atteinte et son propriétaire est tenu de l'entretenir. Connaissez-vous le coût de cet entretien ? Je vais me faire un plaisir de fournir au conseil une liste détaillée de mes dépenses annuelles, afin qu'il sache à quoi il s'engagerait s'il lui prenait l'idée saugrenue d'acheter cette demeure... Bien entendu, il ne le fera pas. C'est vous qui avez perdu, monsieur Esterby... Une précision encore : sur mes conseils, notre voisin, M. Baker, a également fait estimer sa propriété dont le prix a quasiment triplé en quelques années. Si le conseil tient à sa coopérative agricole, il paiera aujourd'hui beaucoup plus cher qu'autrefois. Grâce à vous !... Voilà votre carrière bien compromise, semble-t-il... Et maintenant, fichez-moi le camp d'ici, avant que je ne vous poche les deux yeux, cette fois, avec ou sans témoin !

Livide, Jack Esterby tourna les talons sans demander son reste. Philip se tourna alors vers Jenny.

— Pensez-vous que nos ancêtres auraient été fiers de moi ?

— Ils étaient tous là à vous faire une haie d'honneur. J'en suis sûre !

— Allons leur rendre visite là-haut.

Avant d'ouvrir la porte de la galerie des portraits, il lui dit :

— Fermez les yeux... Bien, laissez-vous guider... Voilà... Vous pouvez regarder à présent...

Elle se trouvait devant le grand portrait de sir Henry. Le chien en avait disparu et un très jeune homme aux cheveux aussi roux que ceux de Jenny, au visage anguleux, avait pris sa place, la main de son père reposant sur son épaule.

— J'ai pensé qu'il était grand temps que le fils prodigue réintègre la famille, expliqua Philip. C'est un excellent restaurateur qui a remis le tableau en état... Venez, j'ai encore autre chose à vous montrer.

Il l'entraîna vers la galerie des photographies. A l'extrémité de la rangée, se dressait sir Leonard, imposant, très raide, le visage empreint d'une sévérité de commande que démentait la bonté de son regard.

— J'avais oublié cette photo, murmura Jenny, très émue...

— Je l'ai trouvée dans votre chambre, après votre départ. Sa place était ici. Mais regardez l'inscription... en bas...

— Sir Leonard Carrister, le dernier des baronnets, lut-elle à mi-voix.

— Seriez-vous très fâchée, Jenny, de ne jamais devenir lady Carrister ? Je ne revendiquerai pas ce titre. A l'époque du vieux monsieur, cela signifiait beaucoup. Et il l'a porté avec panache. Je ne serais pas à la hauteur...

Elle le regarda avec fierté. Qu'importait nom et particule. Une fois de plus, Philip s'était conduit en homme avisé et nul ne saurait mieux que lui veiller sur leur héritage commun.

— Grand-père aurait été content. Je n'ai pas d'autre ambition que celle de devenir Mme Philip Thornhill...

Il l'enlaça fiévreusement, s'empara de sa bouche avec une passion impérieuse.

— Marions-nous le plus vite possible, mon amour, lui glissa-t-il à l'oreille. Je crains que mes principes victoriens ne résistent plus très longtemps...

Ce livre de la *Série Romance* vous a plu. Découvrez les autres séries Duo qui vous enchanteront.

Désir, la série haute passion, vous propose l'histoire d'une rencontre extraordinaire entre deux êtres brûlants d'amour et de sensualité.
Désir vous fait vivre l'inoubliable.

Série Désir : 6 nouveaux titres par mois.

Harmonie vous entraîne dans les tourbillons d'une aventure pleine de péripéties.
Harmonie, ce sont 224 pages de surprises et d'amour, pour faire durer votre plaisir.

Série Harmonie : 4 nouveaux titres par mois.

Amour vous raconte le destin de couples exceptionnels, unis par un amour profond et déchirés par de soudaines tempêtes.
Amour vous passionnera, *Amour* vous étonnera.

Série Amour : 4 nouveaux titres par mois.

Série Romance : 6 nouveaux titres par mois.

Duo

Série Romance

237 **JOAN SMITH**
Oublions le passé

Lorsque le vieil immeuble Ewell est menacé
de démolition, Tonia Ewell monte en première ligne
pour essayer de sauver le patrimoine de ses ancêtres.
En face d'elle se dresse un adversaire de choix:
Jack Beldon, l'architecte chargé de l'aménagement
urbain. Tous deux s'affrontent, malgré l'attirance
qui les pousse l'un vers l'autre.

238 **DOROTHY CORK**
Le désert du bout du monde

Pareil à la terre rude et âpre qu'il possède au cœur
de l'Australie, Ryan est dur, intransigeant,
dangereux même pour Liza, si fragile et naïve encore.
Il a d'elle l'image d'une fille de la ville, sophistiquée
et facile. Liza saura-t-elle le persuader
qu'il se trompe?

Ce mois-ci

Duo Série Harmonie

Duo Série Désir

Duo Série Amour

Achevé d'imprimer sur les presses de l'Imprimerie Bussière
à Saint-Amand-Montrond (Cher)
le 25 janvier 1985. ISBN : 2-277-80242-5. ISSN : 0290-5272
N° 2832. Dépôt légal : janvier 1985. Imprimé en France

Collections Duo
27, rue Cassette   75006 Paris
diffusion France et étranger : Flammarion

Duo 242
Romance